JN072780

脳を開けても

正統派科学者が意識研究に走るわけ

青野由利

築地書館

はじめに

二〇二〇年の一〇月、ノーベル物理学賞の発表をインターネットのライブ中継で見ていた私は、思わず「おお、ペンローズ！」と心の中で叫んでいた。

予想していたわけではない。むしろ、驚きだったといってもいい。

英オックスフォード大学のサー・ロジャー・ペンローズは天才的な数理物理学者といわれてきた人物で、この分野では有名人だ。車椅子の物理学者スティーヴン・ホーキングの先輩で、共同研究をしていたことでも知られる。

その受賞業績は「一般相対性理論がブラックホールの存在を予測していることの発見」。言い換えると、アインシュタインの一般相対性理論に従えば宇宙の進化の過程でブラックホールが形成されるのは必然、ということを数学的に示したことだ。

素晴らしい業績にもかかわらず、受賞を予想していなかったのにはいくつか理由がある。

まず、この間まで「ブラックホールはあるんだろうけど、その実在を証明するのはむずかしいだろう」と思っていたからだ。理論だけではノーベル賞はこない。

ところが最近になってブラックホールの実在は間接的に証明された。ペンローズと物理学賞を受賞した二人は私たちの銀河の中心にブラックホールが実在することを観測によって示した人たちだ。二〇一九年には日本を含む別のグループがブラックホールの「影」の撮像に成功している。となれば、理論家にノーベル賞が贈られるのは当然といえば当然かもしれない。

だが、もうひとつ、ペンローズとノーベル賞が結びついていなかった理由がある。

私にとってのペンローズは、「量子脳理論」の提唱者であり、ノーベル賞が象徴するような「正統派科学」からは一歩踏み出した（もしくは、はみ出した）科学者だったからだ。

心や意識を生み出しているのは脳の量子力学的な過程である――。これがペンローズの量子脳理論の提案である。

特に彼が注目するのは量子力学と相対性理論を結びつけた量子重力理論だ。さらに、意識の発生に関わる脳の器官として「微小管」を提案していた。

詳しくは本文に譲るが、この理論を知った時には、「ええ！」と思った。

ペンローズ先生、いくらなんでもそれは無茶では？　という気分だった。

なぜなら、微小管は体のどこにでもある小器官で、それが深遠な意識や心を生み出しているとは、とても信じられなかったからだ。

だが、実のところ、「心や意識」の問題で「ええ！」と思うような説を唱える天才・秀才科学者はペンローズ一人ではない。

正統派科学で功成り名遂げた後に、意識や心の問題にはまる科学者は、思った以上に多い。

いったい、それはなぜなのか。その疑問を出発点に『ノーベル賞科学者のアタマの中　物質・生命・意識研究まで』を出版したのは四半世紀前のことだ。

正統派科学者と心脳問題の関係を追う旅を縦軸に、二〇世紀の科学の成功と限界を横軸に、量子論から遺伝子研究、脳科学、免疫学、コンピュータ科学、複雑系、さらに「意識や心の問題は科学で解けるのか」という根源的テーマまでを見通した「力作」だった（などと思っているのは本人だけでしょうが）。

登場人物は天才から変人まで絢爛豪華だし、ちりばめられたコラムにはお得感もあった（はずです）。にもかかわらず、一回増刷したきりで、書店の棚から姿を消してしまった。

もちろん、そんなことはよくある。

だいたい、今だから、半分冗談で「力作」などと大口をたたいているが、当時は「こんな本を出して大丈夫かな」「トンデモ本だと思われたらどうしよう」と大変不安だった。

それから四半世紀。二一世紀も四分の一が過ぎた今、改めて読み直してみると、不思議なことに中身はほとんど古びていない。

一方で、この間に神経科学や人工知能（ＡＩ）が格段に進歩し、意識研究に影響を与えてきたことも確かだ。

新たにこの分野で注目されるようになったプレイヤーもいる。中には、「ええ！　あなたまでそんなことを言い出したんですか？」と、びっくりさせられたケースもある（詳しくは本文で紹介します）。

そこで今回、以前の土台はそのままに、この四半世紀の新たな動向を加え、内容をアップデートすることにした。過去の記述を最大限生かしているが、ＡＩと意識に関わる話は大幅に加筆した。新たなコラムも追加している。

かつての登場人物は、その後どうしたのか。新たなプレイヤーはどういう人たちなのか。そもそも、意識の解明はどこまで進んだのか。

意識研究の過去・現在・未来を旅しつつ、天才・奇才たちの意外な素顔・横顔をお楽しみいただければ幸いである。

もくじ

はじめに　3

プロローグ　11

一九九六年　DNAから心へ　11／一九九八年　超伝導から心霊現象へ　17

1章　二〇世紀の科学の勝利とほころび　23

一九九八年　意識は感染する　23／ノーベル賞の季節　29／青天の霹靂　30／二〇世紀の科学の象徴　32

一九世紀末の物理学　34／量子力学の誕生　36／素粒子の発見　42／物理から生命へ　45

還元主義の全盛　48／ほころびる絶対観　50

コラム　シュレディンガーの猫　41

2章　ノーベル賞から「意識」へ　54

物質から神秘主義へ　56

シュレディンガー（一八八七〜一九六一）　56

脳から二元論へ　65
シェリントン（一八五七〜一九五二）　65／エックルス（一九〇三〜一九九七）　68
スペリー（一九一三〜一九九四）　73／ペンフィールド（一八九一〜一九七六）　75
新しい物理を　78
ペンローズ（一九三一〜　）　78／ウィグナー（一九〇二〜一九九五）　83
科学から超心理学へ　85
カレル（一八七三〜一九四四）　85
コラム　潜在記憶と顕在記憶　60／アインシュタインの脳　64

3章　哲学？　いや科学で解こう　90
クリック（一九一六〜二〇〇四）――視覚の不思議がカギを握る　91／コッホとゾンビ　99
エーデルマン（一九二九〜二〇一四）――免疫の仕組みをあてはめよう　104
利根川進博士（一九三九〜　）――遺伝子で謎を解く　110／その後の利根川博士　113
コッホの「ロマンチック還元主義」　114／万物に意識が宿る？　118／トノーニの「統合情報理論」　119
コラム　見えないのに見えている　94／注意が立ち上がるとき　96／サブリミナル・カット　102
知覚的現在　109／さまざまな還元主義　117

4章 「AIは意識を持つか」論争 124

HALの誕生日 126／コンピュータは意識する 128／意識は説明された 132／哲学者と意識 136
サールの中国語の部屋 138／チューリング・テスト 139／ペンローズの分類 141／正統派と人工知能 143
クオリア 145／むずかしい問題とやさしい問題 148／「機械は意識を持てない」のはなぜか 154
下條さんによるAIの「意識」とは 157／土谷さんがみるIITの強みとは 160
二五年ぶりにコッホに聞いてみた 162／アニル・セスにも聞いてみた 166／ガーランド・テスト 171
チャルマーズの問い 172／LLMに意識は宿るのか 174／「AIの意識」を認める未来は来るか 176
チャットGPTに聞いてみた 179
コラム 意識、心、精神 130／意識の階層 133／AIゴッドファーザーの懸念 135／意識研究者の派閥 150
二五年前の賭けに勝ったのは？ 158／「NCCの重要性は低下したのか」 165
意識研究の二五年 169／「AIに意識が宿った」と主張したら 177／脳オルガノイドと意識 181

5章 複雑系は還元主義の限界を突破できるか 184

二〇二一年 驚きのノーベル賞 184／一九九二年 複雑系シンポジウム 187／サンタフェ研究所 189
ゲルマンの不満 191／非線形から複雑系へ 193／新しい宗教？ 194／複雑系とは何か 197
定義はしない 198／足し算してもわからない 199／新しい性質が創発する 201
還元主義礼賛とアンチ還元主義 203／第三の方法論 207／人工生命は生命か 208／意識は複雑だ 212

コラム ヒトゲノム計画 190／福井謙一先生 196／紙とエンピツと頭脳 200／暗黙知と複雑系 202
散逸する複雑系 204／東洋思想への傾倒 206／理論屋と実験屋 211

6章 ノーベル賞科学者が意識研究に走るわけ 217

もともと意識を研究したかった 218／むずかしいほど血が騒ぐ 221
ノーベル賞をとったから、リスクを冒してもいい 222／単純な還元主義では解けないものへの挑戦 225
何にでも興味がある 228／はやり 232／脳を見ても心はなかった 233／免疫学者が意識に走るわけ 236
物理で生物が解けたのだから、意識も解けるだろう 238／意識の神秘は量子論にあり 242
観測者が未来を変える 243／決定論への反感 245／反量子論 247／統一論の魅力 248
神秘主義と直観 250／一九九九年夏 東京で開かれた意識の国際会議 253
コラム 日本人と一元論 235／湯川秀樹と朝永振一郎 244

エピローグ 259

意識研究の未来 259
おわりに 262
主な参考文献 271
索引 275

プロローグ

一九九六年　DNAから心へ

話は一九九六年の晩秋にさかのぼる。空から冷たい雨粒が落ちてきているというのに、銀座にほど近いホールは満杯の人でむせかえるようだった。

繁華街にあるホールの聴衆にしては、一風変わった人々が座席を埋めている。背広にネクタイ姿の中年男性と、ジーンズにセーターといったカジュアルな服装の若い男女。大人の女性の姿がないわけではないが、はたから見ると何がお目当てなのか見当のつきにくい集団だ。

そんな彼らに混じってホールの左中央部に座り、私は胸をドキドキさせていた。アイドルスターを待ち受ける少女のように狭い椅子に押し込んだお尻が落ちつかない。

やがてアイドルというにはとうの立った四人がゆっくりと舞台に姿を現わした。四人のうち三人は、むしろ「おじいさん」というにふさわしい年齢である。それにもかかわらず、私は歓声をあげて彼らを迎えたい気分だった。

この四人とは、米国からやってきたジェームズ・ワトソン博士とフランシス・クリック博士、フランスからきたフランソワ・ジャコブ博士、そして米国のマサチューセッツ工科大学（ＭＩＴ）から里帰りした利根川進博士である。

いずれもノーベル生理学・医学賞の受賞者だが、そう言ってみたところで、「そりゃあ、すごい」という反応を期待するのは無理な話だろう。

だが、科学記者には（私だけかもしれないが）偏った心理がある。科学者ばかりを追いかけてきた

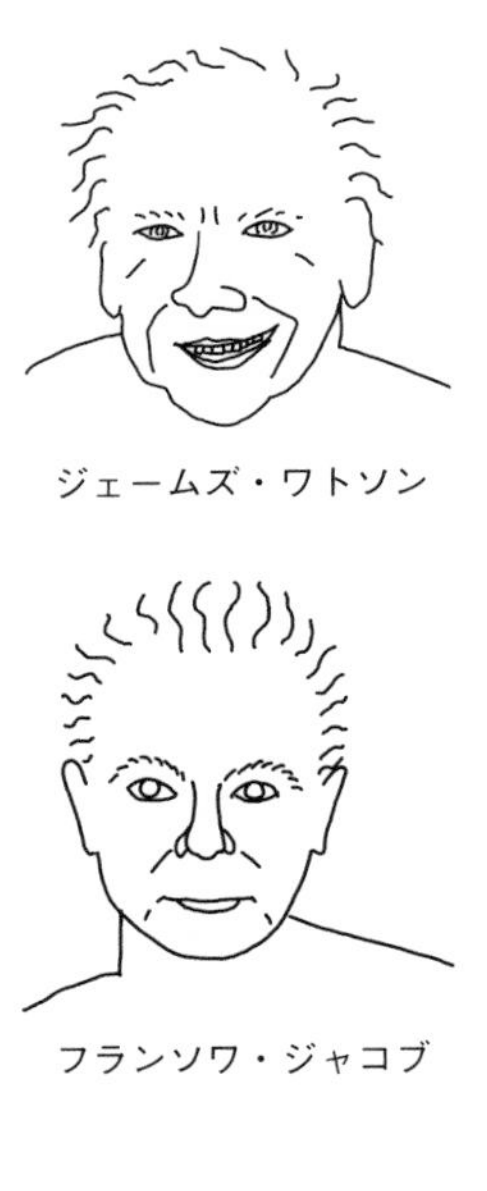
ジェームズ・ワトソン

フランソワ・ジャコブ

せいに違いないが、「お目にかかってみたい有名人」はもっぱら世界的な業績を上げた科学者たち。大統領にも映画スターにも食指が動かないのに、ノーベル賞科学者と聞くとクラッときてしまう、変な体質が形成されてしまったのだ。

しかも、言わせていただければ、この四人はただのノーベル賞科学者ではない。「二〇世紀科学の最大の発見のひとつ」として科学史に燦然と輝く分子生物学を打ち立て、発展させてきた立役者の面々である。科学記者のみならず、生物学をめざす若者にとっても、神様のような存在に違いない。

骨ばった顔のワトソンと眉毛の長いクリックは、言わずと知れたDNAの二重らせん構造の発見者である。現在行なわれている生物学や医学研究の大半が、彼らの発見に負っているといっていい。人間の全遺伝情報を解読する生物学のビッグプロジェクト「ヒトゲノム計画」も、彼らの発見があればこそ実現した。今をときめくゲノム編集技術とて、彼らの業績なくしては成り立たない（そういえば、ゲノム編集技術「クリスパー」を開発した女性ペアの一人、ジェニファー・ダウドナの若き日のヒーローはワトソンだったという）。

ジャコブは、『偶然と必然』の著書で知られるジャック・モノーとともに、遺伝子が働く際の調節機構モデルを提案し、一九六五年にノーベル賞を受賞した。ワトソンとクリックに比べると一般の知名度は低いが、玄人受けはワトソンとクリック以上かもしれない。日本の分子生物学の草分けといわれる人々が、影響を受けた科学者としてジャコブとモノーの名前をあげるのをよく聞いてきた。利根川さんも彼らの提示した「オペロン説」に影響を受け、分子生物学の道を歩み始めたと述べているくらいだ。

その利根川さんは、免疫系が無数の異物に対応できる抗体生成の仕組みを分子遺伝学的に解きあかし、一九八七年にノーベル生理学・医学賞を単独受賞した。一九六三年に渡米して以来、海外を本拠地としている。

私がこのイベントを「見逃せない」と思った理由のひとつは、「一堂に会した分子生物学のスターを一目見ておかなければ気が済まない」という科学記者の偏った心理だった。

だが、このとき、もうひとつの気になる要素が頭の隅にひっかかっていた。

「ノーベル賞以降」への興味である。

ある年齢で、もうこれ以上はないという最大級の評価を受けてしまった科学者は、その後どうしているのか。

この日のシンポジウムの総タイトルは「物質・生命・精神」だった。このタイトルに基づいて、まずワトソンが「ヒトゲノム計画について」と題して人間のＤＮＡの全遺伝情報を解読する国際プロジェクトを紹介した。

続いてジャコブが「生命とティンカリング（鋳掛け細工）」をテーマに、遺伝子に着目した生物進化の仕組みを論じた。

次にクリックが「脳と心」について視覚系を中心とした最新の研究動向を紹介し、最後に利根川さんが「学習と記憶の機構」をマウスを使った実験に基づいて話した。

シンポジウムが終わった会場には、ワトソンのサインを求める長蛇の列ができた。学生とおぼしき若者たちが、教科書や彼の著書を次々と差し出し、サインを求めている。私自身も思わずこの列の最後尾に並び、名刺を渡して挨拶しようとしたら、ワトソンがいきなりその名刺にサインしたので驚いた（これは大事にとってある）。


残りの三人は姿を消してしまったが、実のところこの日のワトソンの話には目新しいことは何もなかった。

むしろ、私が気になったのは、ノーベル賞受賞から三〇年以上をへたクリックとワトソンの対比だった。

ワトソンはある時点から研究の現場を離れ、教科書を書いたり、プロジェクトの事務局を務めたりと、もっぱらアドミニストレーター役に徹していた。路線は相変わらず分子生物学とその周辺だ。

一方のクリックは、ある時、研究対象をシフトさせた。そして、その転向先はこの日の講演の主題にぴったりだった。すなわち、脳や心、意識の研究だったのだ。

クリックが心の問題に興味を抱いていることは、それとなく知っていた。一九九四年に彼が出版した"The Astonishing Hypothesis（驚異の仮説）"は、『ＤＮＡに魂はあるか』という奇抜なタイトルの日本語訳が出ているが、遺伝子の話ではなく、意識研究の話である。しかし、本人の口から意識研究の話を聞いたのはこの時が初めてで、クリックが本気であることが改めてわかった。

しかも、驚いたことに、利根川さんまでが次のような抱負を披露したのだ。

「私は現在マウスについて研究していますが、将来本当にやりたいのはクリック先生が書いているようなこと、いや、それより先の、例えば言語のような人間だけにしか見られない現象を調べることです」

ＤＮＡから意識や心の問題へ。いったい何が、彼らを方向転換させたのだろうか。

一九九八年　超伝導から心霊現象へ

このシンポジウムから二年後の一九九八年一一月、私は早稲田大学の国際会議場のホールで、再び胸をドキドキさせていた。舞台の上にいるのはノーベル物理学賞の受賞者ブライアン・ジョセフソン博士だ。客席を埋めているのは、これまた、一見しただけではどういう種類の人と言いにくい集団である。どちらかといえば、カジュアルな格好の中年男性が目立つ。

このときの私の胸の高鳴りは、クリックやワトソンを眺めたときとは少し違うものだった。見てはいけないものを盗み見るような気分、とでも言えばいいだろうか。

ブライアン・ジョセフソン

ジョセフソンは「ジョセフソン効果」の発見で知られる物理学者で、英国の名門ケンブリッジ大学に所属している。一九八〇年代半ばに巻き起こった超伝導ブームを覚えている人なら、ジョセフソン効果を利用した「ジョセフソン素子」と聞けば、ちょっと懐かしい気がするのではないだろうか。

私たち科学記者にとっても、「超高速・低消費電力」を実現するジョセフソン素子は覚えておかなくてはいけないキーワードのひとつで、いつ、どこのチームが実用化に成功するか、目を光らせていたものだ。

ジョセフソン素子は、脳磁場などを測定するSQUID（超伝導量子干渉素子）に実用化されたものの、一九九〇年代の初めを境にメディアからパタリと姿を消してしまった。素子の開発が一段落し、一般的な製品とするにはコストが見合わないことがわかったためらしいが、いずれにしても、ジョセフソン自身は何も気にしていなかっただろう。

なぜなら、その後のジョセフソンの興味はまったく別の方向を向いていたからだ。その方向とは超心理学、つまり心霊現象や神秘現象までを含む心の研究である。

ジョセフソンは一九六二年、二二歳の大学院生のときに「ジョセフソン効果」を発見した早熟な天才である。この業績によって一九七三年にノーベル物理学賞を受賞した。同じときに江崎玲於奈博士もトンネル効果を実験的に実証した業績でノーベル賞を受賞している。

その直後にジョセフソンは研究テーマを一八〇度転換した。その後の彼の論文には「超常現象：その証拠と意識との関係」「音楽と心」といったタイトルがついている。超常現象だって？　ノーベル賞を受賞した物理学者が、なんでまた、そんな研究に没頭するようになったのだろうか。

実はこのシンポジウムからさかのぼること一年ほど前、私はジョセフソンに一通の電子メールを送ったことがあった。

「あなたが物理学から意識研究に転向したのはなぜなのか」

驚いたことに、返事はすぐにきた。だが、回答は次のようなあっさりした内容だった。

「意識状態を変えることの重要性や超常現象に興味を持つ同僚がいたこと、一九七四年にサイコキネシス（念動力）会議に招かれて出席したことにも影響を受けた」

それに加え、物理よりも精神現象のほうが興味深いチャレンジだという気がしたことも理由のひとつだったという。

しかし、理由は本当にこれだけなのだろうか。


国際シンポジウムで見たジョセフソンは、線の細い、繊細な人物という印象だった（空気が漏れるような話し方に特徴があり、誰かに似ているなあと思ったら、セサミストリートのアーニーだった）。確かに超能力の存在を信じているようだが、同じ舞台にいたヒーリング系の人や新エネルギー系の人たちとは違って見えた。

結局、このシンポジウムからも納得できる答えは得られなかったが、私は何かがひっかかった。ジョセフソンの心変わりは、ちょっと変わった天才科学者の個人的な問題と切り捨てられるのだろうか。

クリックの転向とジョセフソンの心変わりの背後には、何か共通の原因が潜んでいるのではないだろうか。

ろうか。

◇　◇　◇

以上は、私が「ノーベル賞級の正統派科学者」と「意識研究」の関係を追うことになったそもそもの出発点である。

あれから四半世紀、その後の彼らはどうしているのだろうか。

残念ながら、ここに登場する五人のノーベル賞科学者のうちクリックとジャコブはもはやこの世にはいない。

だが、ワトソン、ジョセフソン、利根川さんの三氏は健在だ。

ワトソンはその後も何度か来日し、ＤＮＡ研究の歴史などを講演している。ただ、度重なる人種差別的発言が物議を醸し、二〇一九年には古巣の名門研究所コールドスプリングハーバーの名誉職まではく奪されてしまうという残念な状況にある。

二〇世紀後半に生命科学に革命を起こしたＤＮＡの二重らせん構造決定と、遺伝子に基づく差別意識。この対比もまた気がかりではあるが、ここではとりあえず置いておく。

若くしてノーベル賞を受賞したジョセフソンも八〇歳を超えたが、今もケンブリッジ大のキャベンディッシュ研究所に所属し、従来の物理学の限界と脳機能と心の関係について思索を続けているようだ。

ただし、二〇二一年にプレプリント（査読前論文）として物理学のプレプリントサーバーにアップした論文はサーバーの運営者によって拒否されてしまったというから、苦戦を強いられているのは間違いないだろう。

利根川さんは、その後もマウスを使った記憶の研究で次々成果を上げてきた。

二〇一四年には、光刺激で記憶を置き換える実験で米科学誌「サイエンス」の「今年の一〇大成果」に選ばれている。

八〇代になっても、ＭＩＴを拠点に研究を続けている。

二〇二〇年の共著論文には、「記憶痕跡　過去を思い出し未来を想像する」「海馬の神経細胞は伝達可能な経験の単位として出来事を表わす」といったタイトルがついている。

研究室のホームページをみると、「学習・記憶に焦点を絞り、脳の中枢神経系がどのようにして心を作り出しているかを明らかにしようと研究を続けています」とあるから、「心の研究」をめざす姿勢は変わっていないということだろう。

ただし、心や意識の解明に正面からつっこんでいるようにはみえない。

彼らの最近の様子は後のページに譲ることにして、本書では1章でノーベル賞が象徴する「正統派科学」「還元主義」の歴史を振り返り、2章ではその中から心や意識の研究に走った科学者を紹介する。3章では従来の科学の延長線上で心や意識の問題を解こうとする試み、4章では「機械は意識を持つか」論争を振り返り、最近のＡＩの進化と意識の関係を考える。5章では正統派科学と意識研究をつなぐ「複雑系」を見ていく。最後に6章で正統派科学者が意識や心の研究に走る謎を改めて考える。

1章　二〇世紀の科学の勝利とほころび

一九九八年　意識は感染する

「まあ、インフルエンザみたいなものかな。二〇年の潜伏期を持つインフルエンザだ」

都内にあるこぢんまりとしたホテルのカフェで、クリストフ・コッホは意表を突くような答えを返してきた。お昼前とあって店内は閑散とし、温室のように壁一面に広がるガラス窓から秋の木漏れ日が差し込んでくる。

コッホはドイツ人の両親を持つ認知科学者で、一九九八年のこの時はロサンゼルスから車で一時間ほどのところにある米国西海岸の名門、カリフォルニア工科大学（カルテク）の教授を務めていた（二〇一一年からはシアトルにある「アレン脳科学研究所」の所長を務めている）。

かつてバレエダンサーをめざしたという長身に、赤いウェスタン調のベストとグリーンのパンツ、赤いカウボーイ・ブーツがぴたりと決まり、科学者だと知らなければ芸能人かと思ってしまいそうな華やいだ雰囲気を漂わせている。

この時、コッホは認知科学のシンポジウムに招かれて来日し、前日に恵比寿で講演したところだった。その後、午前三時まで繁華街を梯子して歩いたというのに、疲れた様子もなく、よく動く口から機関銃のようにドイツ・アクセントの英語がほとばしり出てくる。

自己紹介を済ませたあと、私が最初にたずねたのは次のような質問だった。

「最近、多くの科学者が、これまでタブーだった意識研究に注目し始めています。それには、あなたとフランシス・クリックのプロパガンダが一役買っているように思えますが、どうでしょうか?」

「意識研究インフルエンザ説」は、この質問への答えだった。

クリストフ・コッホ

一九五六年生まれのコッホは三〇代でカルテクの教授になった秀才だ。日本では名が通っているとは言えないが、DNAの二重らせん構造の発見者であるフランシス・クリックと一九八〇年代の初めから意識研究のコンビを組み、共著の論文をいくつも発表してきた。

クリックが意識研究に転向するにあたって優秀な若手の相棒を探し

ていたときに、学術集会で出会ったのが共同研究のきっかけだったらしい。

ノーベル賞を受賞した老科学者と若手認知科学者の組み合わせは非常にうまく機能したようで、クリックは意識について書いた最初の著作『ＤＮＡに魂はあるか』をコッホに捧げている。二〇〇四年にクリックが亡くなる直前まで、共著で論文を執筆していた。

そしてこのコンビは、一九九〇年代に入って「今こそ意識を科学的に研究する時期にきた」と高らかに宣言し、啓蒙普及に努めていたのだ。


「一九世紀の終わりには意識に対する興味が非常に高まっていた。西洋について話してるんだが、例えばウイリアム・ジェームズがいる」とコッホは続けた。

そうそう、ウイリアム・ジェームズという人がいたっけ。作家のヘンリー・ジェームズの弟だか兄貴だかで、心の科学というと必ず登場する一九世紀末の米国の心理学者だ。実験心理学の父とも呼ばれる。そういえばクリックも、ジェームズが一八九〇年に出した"The Principles of Psychology（心理学の原理）"に「不朽の名著」という形容詞をつけて紹介していたはずだ。

二〇世紀に入るとドイツにゲシュタルト心理学が登場し、意識に対する興味は再び新たな高まりを見せる。ゲシュタルト心理学は「全体は構成要素の総和にあらず」という考えの下に、知覚や学習、記憶などを研究する学派で、日本にも大きな影響を与えた。

これとは別に、「無意識」を流行させたフロイトや、フロイトの弟子だったユングのように、別の意味で人間の意識にスポットライトをあてた人々もいる。

一方、一九二〇年代に米国に登場した行動主義心理学はこの流れに水を差す。行動主義は、客観的に観察できる行動だけを手がかりに人間を解明しようという学問で、結果的に外側から観察できない心や精神の問題を扱うことをタブーとしたからだ。

一九五〇年代後半から六〇年代になると認知心理学が台頭し、今度はコンピュータを使って人間の脳のモデルを作ることが流行となった。しかし、この時点でも意識はその対象から外れていた。ここでもまた、ある種のタブーだったといっていいだろう。

「そして、八年ぐらい前になって、再び意識の研究はポピュラーになったわけだ」。コッホの話が途切れなく続いていく。

なるほど、意識研究には流行があると言われればその通りかもしれない。ただ、この時私の頭にあったのは、人間の心を専門とする心理学者や精神分析学者のことではなかった。クリックやジョセフソンの「転向」を知って以来、物理学や生物学を専門とする自然科学者と意識研究との関係が頭の隅にひっかかっていた。

ノーベル賞まで受賞してその道の権威となった彼らが、なぜ、この間までタブーだった、ちょっと怪しげな分野に足をつっこむことになったのか。考えてみれば不思議な話である。

しかも、少し調べてみた結果、この疑問に追い打ちをかける意外な事実がわかった。「正統派自然科学」を究めたあとに、意識や精神の問題へと興味を移した「意識志向性」の高いノーベル賞学者は、クリックやジョセフソンだけではなかったのだ。


例えば免疫学の成果で一九七二年にノーベル賞を受賞したジェラルド・エーデルマンは、後に意識研究に没頭した。神経科学の成果で知られる大脳生理学者のジョン・エックルス卿は、脳と心は別ものと考える二元論に基づき、一九九七年に九四歳で亡くなるまで科学哲学者のカール・ポパーと組んで精力的に脳と意識について発言した。

てんかん治療のための分離脳の実験で知られるロジャー・スペリーもまた、心と脳の問題を考えることに晩年を費やした。

もう少し時代をさかのぼると、一八五七年生まれで近代神経生理学の父といわれるチャールズ・シェリントンが意識について考察を重ね、二元論にたどりついている。

量子力学の波動方程式で知られる物理学者のエルヴィン・シュレディンガーは東洋神秘主義に基づく一元論に傾倒し、その思想を取り込んだ著作『精神と物質』を晩年に著わした。

臓器移植の新手法を開発したアレキシス・カレルは、著書で透視やテレパシーといった心霊現象に踏み込んでいる。

これらの科学者はみな、「本職」の物理学や生物学でノーベル賞を受賞したのちに、意識や心や精神の問題にのめり込んでいった人々だ。

もちろん、意識なんてどこ吹く風と、素粒子物理学や生理学、分子生物学などを究めるノーベル賞学者はたくさんいる。ワトソンのように研究は「あがり」という人もいる。

しかし、振り返ってみると、意識や精神に集中するとまではいかなくても、明らかにそれらを含んだ研究をめざすノーベル賞学者は少なくない。

ノーベル賞をとらないまでも、それに匹敵する研究成果をものにした正統派科学者の中にも、意識の問題に強い興味を示す人々は目につく。脳外科医のワイルダー・ペンフィールド、「量子脳理論」を提唱する数理物理学者のロジャー・ペンローズはその代表的選手といってもいい（「はじめに」で述べたように、ペンローズは二〇二〇年になって本来の研究対象であるブラックホールと一般相対性理論でノーベル物理学賞を受賞している）。

なぜ、突出した正統派科学者はある時期に意識や精神の問題に心を奪われるのだろうか。

コッホが言うように、彼らもまた、時代の流行に左右されているのだ

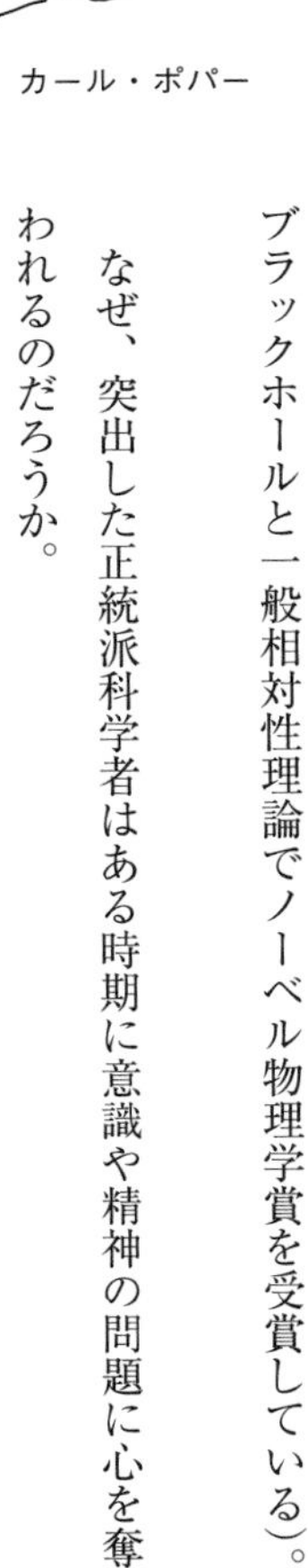
カール・ポパー

ろうか。

そうでなければ、ノーベル賞を受賞したとたんに発病する「意識過意識症候群」という不思議な病気でもあるのだろうか。

それとも……。

ノーベル賞の季節

科学者なら誰でも一度は「自分がノーベル賞をとったら」と夢見たことがあるだろう。「ノーベル賞」という言葉には特別な響きがある。

その一方で、創設から一世紀以上を経た今、ノーベル賞にどこまで価値があるのかと問う声も少なからずある。日本国際賞や米国のブレークスルー賞など、ノーベル賞の向こうをはって高額の賞金を出す科学賞も登場した。

新聞社で長年ノーベル賞をカバーした経験のある私も、「もうそろそろノーベル賞で大騒ぎをするのはやめたらいいのに」と思う一人だ。

特に、この四半世紀で日本人の受賞者はめずらしくなくなり、お祭り騒ぎをする意味はなくなった。日本人だったら大騒ぎし、外国人だとひかえめというのも、おかしな話だと思う。

とはいえ、新聞社の科学記者にとってはいまだに一大イベントであることは変わりない。一〇月が近づくとノーベル賞担当が決められ、生理学・医学賞、物理学賞、化学賞の三賞の発表に向けて準備を進めるのは年中行事のようなものだ（二〇二二年に新聞社を卒業した私は、その必要がなくなったことがちょっと嬉しい）。

ノーベル賞は事前に受賞者の情報が漏れることはない。その年の受賞候補者でさえ本当にはわからない。となれば、山をかけるしかない。

「この人はいずれノーベル賞だろう」と各新聞社が予測する人は、だいたい一致している。従って、ノーベル賞発表の夜になると（発表はスウェーデンの昼、日本では夜になる）候補者と目される人の自宅や研究室に記者が押しかけることになる。

騒ぎのとばっちりを受けるのは本人だけではない。家族や周囲の人は、まだ本人が受賞するかどうかさえわからないうちから感想やコメントを求められる。

最近では、受賞しそうな科学者が所属する大学や研究所が「受賞したら何時からどこそこで記者会見を開きます」という情報を事前に流すケースも増えている。

青天の霹靂

では、予想はあたるか。

私が新聞社の記者として経験した最初の日本人の受賞は一九八七年の利根川進博士のノーベル生理学・医学賞だった。利根川さんは米国東海岸のボストン在住だったが、誰もが「いずれはノーベル賞」と予測していた人物だった。試験の山があたったようなもので、準備は万端だったと記憶している。

その後も、野依良治さん（二〇〇一年）、小柴昌俊さん（二〇〇二年）、南部陽一郎さん・益川敏英さん・小林誠さん（二〇〇八年）、山中伸弥さん（二〇一二年）といったあたりは、「いつか必ず」とみんなが思う人たちで、心構えはできていた。

対照的に「青天の霹靂」もある。一九八一年の福井謙一さんの化学賞受賞は私が経験したわけではないが、みんなの下馬評からすっかり漏れていた。ちょうど、福井さんがその年の文化功労者に内定していたために、その資料があって、どの新聞社も命拾いしたという話が語り草になっていた。

福井謙一

といっても福井さんの業績が軽視されていたというわけではない。彼の業績は大学の教科書にもでてくるような、非常に基礎的で基本的な化学反応の量子論的理論だ。

ただ、概して化学賞は生理学・医学賞などに比べるとわかりにくいし、予想もしにくい。

白川英樹さんの化学賞（二〇〇〇年）も準備万端とは言えなかった。

二〇〇二年の田中耕一さんの受賞に至っては、「名前も聞いたことがない」というほどの大穴で、その年のノーベル賞担当だった私は、第一報を聞いて「え？　誰それ？」と血の気が引いたことが忘れられない。

ただし、予想通りの化学賞もある。新型コロナウイルス感染症の検査ですっかり有名になったPCR法を開発した業績で一九九三年に受賞したキャリー・マリス、リチウムイオン電池の開発で受賞した吉野彰さん（二〇一九年）、ゲノム編集クリスパーを開発した女性ペアのエマニュエル・シャルパンティエとジェニファー・ダウドナ（二〇二〇年）などは、「やっぱりね」という人たちだった。

二〇世紀の科学の象徴

ノーベル賞はいうまでもなく、ダイナマイトの発明で大富豪となったスウェーデンのアルフレッド・ノーベルの遺言によって創設された賞だ。彼の莫大な遺産が財源となっている。

第一回のノーベル賞が授与されたのは一九〇一年。受賞者は物理学がエックス線を発見したヴィルヘルム・レントゲン、化学は浸透圧を発見したファント・ホッフ、生理学医学がジフテリアの血清療法を研究したエミール・フォン・ベーリングだった。

一九〇一年に始まったということは、いいかえれば、それから一〇〇年の受賞者の業績が二〇世紀の科学を代表しているといってもいいだろう。ひととおり眺めてみれば、二〇世紀の科学とはいったい何だったのか、その実像を知る手がかりになるはずだ。

現代を生きて、現代の科学を取材していると、「科学」というものが昔から変わらないものだと思ってしまいがちだ。しかし、「科学とは何か」の位置づけは社会の価値観とともに変化していくものに違いない。科学の方法論も同じだろう。

科学史や科学社会学を専門とする村上陽一郎さんによれば、現代でいうところの「科学者」が生まれたのは一九世紀後半のことであり、ノーベル賞のような科学者・研究者の報奨制度は、このころに生まれた「科学者」の概念に基づくものだという。

だとすれば、ノーベル賞は私たちが念頭においている科学そのものを象徴しているといってもいいかもしれない。

ノーベル賞科学者が意識研究に邁進してきたワケを考えるために、ノーベル賞の一世紀をおさらいしてみることは悪くなさそうだ。

そこでここでは、科学に革命をもたらしたと思える主要なテーマに絞って、二〇世紀科学の大きな流れをノーベル賞から読み取ってみることにしたい。

一九世紀末の物理学

一九世紀末。欧米の科学者の間には「物理学は終わった。もう発見すべきことは残されていない」という、ある種の自己満足が広がっていた。

一七世紀に誕生したニュートン力学はライプニッツやラグランジュ、ラプラスやポアンカレによって発展を遂げ、この世を記述する基本原理として広く浸透していた。

電気や磁気を扱う電磁気学はマクスウェルの方程式によってひととおり完成し、熱的な現象をマクロなレベルで扱う熱力学も一九世紀後半までに完成を見ていた。

このような状況の中で、米国のノーベル賞物理学者アルバート・マイケルソン（一八五二〜一九三一）は、「物理学の主要な基礎原理のほとんどはすでに確立されている」と講演の中で語ったという。

熱力学や電磁気学の分野で活躍した英国の物理学者ケルヴィン卿（本名ウィリアム・トムソン、一八二四〜一九〇七）も、「物理学には今後発見される新しい話はない」と述べたと伝えられている。

後にノーベル賞を受賞したドイツのマックス・プランク（一八五八〜一九四七）や米国のロバート・ミリカン（一八六八〜一九五三）も、一九世紀末に物理学を専攻しようと志したときには、周囲から思いとどまるように説得されたというから、多くの人が本気でそう思っていたに違いない。

一九九六年に科学雑誌「サイエンティフィック・アメリカン」の記者がまとめた“The End of

Science"（邦訳『科学の終焉』）という本は当時日本でも話題になったが、世紀末ともなると似たような考えがみんなの頭をよぎるのだろうか。

何はともあれ、そんな一九世紀末の雰囲気に一石を投じたのが第一回のノーベル物理学賞を受賞したレントゲン（一八四五～一九二三）のエックス線の発見だった。

素粒子物理の分野で一九七九年にノーベル物理学賞を受賞したスティーブン・ワインバーグによれば、エックス線の発見は、「まだ物理学が発見すべきことが残されている」という自信を与えることにつながったという。

確かに、その後ノーベル賞に名を連ねた人々の業績を見れば、発見すべきことはまだたくさんあった。放射線の発見や原子の構造の解明に始まり、新しい素粒子や超伝導、超流動現象などが二〇世紀の物理学によって次々と明らかにされていった。

その中でも「パラダイム・チェンジ」といわれる大きな節目が、アインシュタインによる相対性理論と、シュレディンガーらによる量子力学の創設である。どちらも自然科学だけでなく哲学にも影響を与え、人々の世界観を変えたと言っていい。

ただし、この二つの理論の物理学における位置づけは、ある意味で大きく異なる。

アインシュタインの相対性理論は、それまでのニュートン力学を無効にするようなまったく新しい力学だと思われるかもしれないが、そうではない。物体が光速に近いスピードで動いているときには、確かにニュートン力学は崩れ、相対性理論が幅を利かせる。しかし、私たちが日常的に経験している程度の動きなら、ニュートン力学で十分だ。

アインシュタイン

一方、量子力学の創設はそれまでの物理学を「古典」としてしまうほどの革命的な意味を含んでいた。古典力学といえば一般に量子力学以前を言い、相対性理論も古典のほうに分類することにこのことが象徴されている。

古典物理学という言葉を聞いたときには、ニュートン力学と相対性理論の間に境目があるのだと思ったが、実はこの二つは仲良く古典に分類されているというのだ。

量子力学の誕生

量子力学は二〇世紀が幕を開けると同時に産声をあげた。一九〇一年、ドイツの物理学者マックス・プランクが、自然は「連続」ではなく、「不連続」であるということを発見したのが始まりである（ちなみにプランクの名前は今もドイツ中に散らばるマックス・プランク研究所の名前に残り、広く知られている。これらの研究所は多くのノーベル賞科学者を輩出している）。

プランクはこの考えを「量子仮説」として発表した。アナログだと信じていた世界が、実はデジタルだったと言われたようなもので、かなり衝撃的な説だったに違いない。

プランクは法学の教授の息子として生まれ、音楽的な才能にも恵まれていたが、哲学に思い入れがあったために物理学を選択したという。そこで黒体輻射と呼ばれる難問に取り組み、量子仮説に到達したのだ。

それは、原子はエネルギーを連続的に放射するのではなく、一定の値のエネルギーをひと塊として（つまり量子として）放射したり吸収したりするという考えだった。

プランクの量子仮説はこの段階では「古典的な量子論」でしかなかったが、これに刺激を受けた何人かの天才の頭脳によって、現代的な量子論へと発展していった。

初めにこの説に取り組んだのは、当時スイスの特許局で働いていた二十代前半のアルバート・アインシュタイン（一八七九〜一九五五）だった。プランクの仮説に触発されたアインシュタインは、「光は波である」という常識を疑い、光にも粒子の性質があると考える「光量子仮説」を生み出した。一九〇五年のことである。

アインシュタインはこの説で、光もまた連続的な波ではなく、一定の塊を持つ量子であり、物質に吸収されたり放出されたりすると主張したのだ。

アインシュタインが特許局に就職したのは教職に就きそこなったためだが、特許局の専門官としても非常に優秀だったという。出願された発明者のアイデアを見ただけで、それが役に立つ発明かどうかを見抜く能力があったらしい。おそらくそれは、光量子仮説や相対性理論を生み出した自然のパズル解きに通じるものがあったのかもしれない。

アインシュタインの光量子説に続いて、デンマークの物理学者ニールス・ボーア（一八八五～一九六二）が量子的な原子のモデルを発表した。

このモデルによれば、原子核の周囲にある電子は軌道に沿って運動するが、その軌道は特定のエネルギーを持つものしか許されない（つまり、軌道は飛び飛びにしか存在できない）。そして、電子がひとつの軌道から別の軌道に飛び移るときに、二つの軌道のエネルギーの差が光として放出・吸収される。

ボーアは、プランクの仮説を水素原子から放出されるスペクトル線に応用することによって、このモデルを導き出したという。

最近、物理学や化学を学んだ人にはあたりまえの話に聞こえるはずだが、当時はなぜこんな現象が起きるのかがわからなかった。その謎を解いたのが、オーストリア生まれの物理学者エルヴィン・シュレディンガー（一八八七～一九六一）と、ドイツの理論物理学者ヴェルナー・ハイゼンベルク（一九

〜一九七六）である。

シュレディンガーは一九二三年に発表されたルイ・ドゥ・ブロイの物質波の考えを土台にし、電子を原子核を取りまく波と見なすことによって、その振る舞いを記述する波動方程式を導いた。いわゆるシュレディンガー方程式である。

物質波の考えは、「波と思われていた光が粒子でもあるのなら、粒子であると思われている電子にも波の性質があるのではないか」というムチャ振りとも思える発想の転換によって生み出された。

これを考え出したドゥ・ブロイはフランスの名門貴族の出身で、写真を見ると確かにお公家さんのような顔をしている。もともと歴史が専門だったというから、門外漢の奇抜な発想が功を奏したのかもしれない。

一方、ハイゼンベルクは、量子力学を数学的に表わす行列力学を、シュレディンガーの波動方程式より一年前の一九二五年に創設した。さらに、一九二七年には「粒子の位置と運動量を同時に正確に決定することはできない」ということを示す不確定性原理に到達した。

シュレディンガーとハイゼンベルクの発見は別々になされたものだが、あとになって同じことを別の方法で示していることが明らかになった。

二人の業績は、現代的な量子力学に扉を開いたものと評価され、シュレディンガーは一九三三年に、ハイゼンベルクは一九三二年に、それぞれノーベル物理学賞を受賞している。

この話を聞いて、さすがに天才同士は考えることが似ているのかと思ったが、似ていたのはここまでだった。自分たちが発見した量子力学に対する解釈の点で、二人の意見は完全に食い違ったのだ。

その論争はいまだに尾を引き、哲学的な課題としても残っている。いったい何が問題なのだろう。

量子力学と古典力学の違いは、古典力学がマクロな現象を扱うのに対し、量子力学はミクロな対象を扱うことである。つまり、天体の運動や、鉄の玉と紙の玉を高い塔から同時に落としたらどうなるかという問題を扱うかわりに、量子力学は分子や原子や素粒子のレベルで働く力を扱う。

では、量子力学が描くミクロの世界とはどのようなものなのだろう。

ボーアやハイゼンベルクが提唱したのが、「コペンハーゲン解釈」または「正統派解釈」と呼ばれる考えである。

この解釈によれば、世界は確率によって支配される。粒子の位置と速度を同時に正確に測定することは、古典力学ならあたりまえのことだが、量子力学の正統派解釈によると不可能だ。粒子と波という二つの側面を持つ現象を同時に知ることもできない。

そして、極めつきは「観測すること」それ自体が世界に影響を与える点だ。

直感的にはわかりにくいが、いいかえれば、世界は観測した瞬間に決定される。それ以前には無数の可能性があり、そのうちのどれが選択されるかは偶然による、ということになる。

この摩訶不思議な性質が、ある人には好かれ、ある人には嫌われた。嫌った代表選手がアインシュ

コラム
シュレディンガーの猫

シュレディンガーが猫好きだったかどうかは知らないが（犬は飼っていたらしい）、シュレディンガーといえば猫、というくらいに「シュレディンガーの猫」の思考実験は有名になってしまった。アインシュタインも量子力学の正統派解釈への反論として次々と思考実験を発表したが、なぜかシュレディンガーの猫が生き残っている。とはいっても、その実験の中身をちゃんと知っている人はそんなにいないかもしれない。

シュレディンガーがコペンハーゲン解釈に対抗して提案したのは、次のような実験だ。

まず、一匹の猫を放射性物質とガイガーカウンター、これと連動したハンマーと青酸ガスの小瓶といっしょに、鉄製の箱に入れておく。放射性物質の原子一個が一時間の間に崩壊する確率は五割だとする。原子が崩壊するとガイガーカウンターが鳴り、これと連動しているハンマーが小瓶をたたき割る。

一時間後に蓋を開けて観測するが、量子力学のコペンハーゲン解釈の考えをそのままあてはめれば、猫が生きているか死んでいるかは、人間が観測した瞬間に決定される。観測するまでの猫の状態は確率でしか表わせず、生きた状態と死んだ状態が重ね合わさった状態にあるということになる。

この話はあまりに奇妙で、日常的な感覚では納得しにくい。だからこそシュレディンガーはコペンハーゲン解釈への反証として提案した。だが、逆に考えれば、量子力学のコペンハーゲン解釈がまさにこういう奇妙な性質を持っていることを理解するのに役立つかもしれない。

タインやシュレディンガーだった。どちらも量子力学の誕生に手を貸したにもかかわらず、決して量子力学の「正統派解釈」を受け入れなかった。

有名な「シュレディンガーの猫」は、シュレディンガーがコペンハーゲン解釈のおかしさを強調するために持ち出した思考実験である。アインシュタインもまた、「神はダイス（サイコロ）を振りたまわず」と言って、世界を博打のように見なすこの解釈をとことん嫌ったのだ。

しかし、シュレディンガーらの抵抗にもかかわらず、ボーアらの解釈は次第に優勢となっていった。その中で、シュレディンガーはアインシュタインとともに、一九三〇年以降の量子論的な素粒子物理学の発展にそっぽを向いたまま過ごすことになる。

皮肉なことに、シュレディンガーが嫌った量子力学の奇妙な性質は、のちに意識を考える一部の科学者のキーワードになるのだが、その話はもう少しあとの章に譲ることにしたい。

素粒子の発見

シュレディンガーやアインシュタインの苦悩をよそに、素粒子物理学は二〇世紀後半に大発展を遂げた。この発展を支えたのは量子力学に違いないが、その芽は二五〇〇年ほど前にさかのぼることができる。

紀元前五世紀から四世紀の古代ギリシアで、哲学者のデモクリトスとレウキッポスは、物質を構成する基本物質として、それ以上分けられないもの、すなわちアトム（原子）を提案した。いわゆる原子論の誕生である。

ただし、実際に私たちが知っている原子の実在がはっきりしたのは、一九世紀後半になってからのことだ。

一九世紀の終わりから二〇世紀の初めにかけて、トムソンとラザフォードは原子の中心部に原子核があり、そのまわりを電子が回っているという原子の構造を発見した。さらに、ラザフォードとチャドウィックは原子核が陽子と中性子でできていることを示した。

ご存じのように、電子はマイナスの電荷を持ち、陽子はプラスの電荷を持っている。中性子は電荷を持たない。プラス同士の電荷が反発することを考えれば、原子核の中にある複数の陽子をまとめておくためには、電磁力以外の力が必要だとわかる。

この力はとてもシンプルに「強い力」と呼ばれ、その運び手である中間子の存在を湯川秀樹博士が一九三五年に予言した。彼はこの業績で一九四九年にノーベル物理学賞を受賞している。

湯川博士が予言した中間子は、米国の物理学者カール・アンダーソンらによって一九三七年に宇宙線の中に発見された。朝永振一郎博士によれば、中間子の発見によって湯川理論が物理学界に受け入れられ、素粒子論という分野が開けたという。

中間子を探す過程では、これ以外にもさまざまな新しい粒子が発見され、レプトンだのバリオンだのという素粒子の分類が生まれた（レプトンは電子やニュートリノなどの素粒子、バリオンは陽子や中性子など重い粒子を指す）。

さらに一九六〇年代に入ると、陽子や中性子、中間子はもっと小さな素粒子からできていることがわかってきた。

こうした素粒子の存在を予言したのが、米国の理論物理学者、マレイ・ゲルマンである。晩年には複雑系研究に力を入れたが、もとはといえば、バリバリの正統派素粒子研究者だ（複雑系については5章で述べる）。

ジェイムズ・ジョイスの難解な著作『フィネガンズ・ウェイク』の一節「マークだんなにクォークを三つ」からとって、この素粒子に「クォーク」と名づけたいきさつは、知識人ゲルマンを象徴する有名な話だ。

理論はクォークに六種類あると予言していたが、その予言通りに次々と実験的に検証されていった。

二〇世紀後半に気炎を吐いた素粒子物理学は、その後も発展を続けている。

マレイ・ゲルマン

一九九八年には梶田隆章さんらによってニュートリノ振動が発見され、ニュートリノに質量があることが明らかになった。二〇一二年には物質に質量を与えたと考えられるヒッグス粒子が理論通りに発見され、理論の提唱者であるピーター・ヒッグスさんらにノーベル賞がもたらされた。

一方で、二一世紀の科学は生命や人間の問題に焦点が移る、と予測する人たちもいた。確かに、二〇世紀の科学には物理から生命に向かう流れも顔を出していた。

物理から生命へ

量子論の正統派解釈を嫌い、一九三〇年代以降は理論物理学の主流から離れて過ごしたシュレディンガーだが、その間に、もうひとつ別の重要分野に大きな影響を与えることになった。一九五〇年代以降に大発展を遂げた分子生物学である。

シュレディンガーはユダヤ人ではなかったが、反ナチスの姿勢をつらぬいたため、第二次世界大戦が勃発すると故郷オーストリアを離れることを余儀なくされた。一九三九年にアイルランドの首都ダブリンに移り住み、一九四四年にトリニティー・カレッジで連続講義を行なった。

このカレッジは、ヘンリー八世が設立した英国ケンブリッジ大学のトリニティー・カレッジに倣い、その娘であるエリザベス一世が一六世紀末に創設したものだ。『ゴドーを待ちながら』で知られる劇作家のベケットや、『ガリバー旅行記』のスウィフトも学んだといわれる。

このときの講義をまとめた著作が、今なお有名な『生命とは何か』である。

この中でシュレディンガーは、のちに分子生物学に転向した物理学者マックス・デルブリュックが一九三五年に提案した分子模型のモデルに基づいて、まだ明らかになっていない遺伝子の正体を順々に推理していく。今読んでもわくわくした気分を味わえる、質の高いミステリーのような読み物だ。

当初、物理学を専攻していたクリックが生物学に転向したのも、この本に影響を受けたためだった。クリックの相棒であるワトソンもまた、『生命とは何か』を読んで生命の謎を解こうと思い立った若手研究者の一人だった。

有名なDNAの二重らせんの論文をネイチャー誌に発表した一九五三年に、クリックはシュレディンガーに論文の別刷りを送り、次のような手紙を添えた。

「ワトソンと私は以前に、私たちがなぜ分子生物学の分野にとびこんだのかについて話をしたことがありました。そして私たちは、両者ともにあなたの小冊子『生命とは何か』に影響されたのだということに気がついたのです[*1]」

反論はあるかもしれないが、二〇世紀の生物学を特徴づけるのは、なんといっても分子生物学の誕生だと思う。物理学で言えば、量子力学の誕生に匹敵するパラダイム転換だったに違いない。

古典的な遺伝学はメンデルに始まるが、メンデルの考えた遺伝の単位が染色体と結びつけられたのは二〇世紀に入ってからだ。一九三〇年代に入ると、染色体の成分がＤＮＡであることがわかってきた。一九四四年にはオズワルド・アヴェリーが遺伝子はＤＮＡであることを突きとめ、一九五三年のＤＮＡの二重らせん構造の発見へとつながっていったのだ。

この発見はあらゆる生命科学の分野に広がった。今や生物学や医学の研究室で分子生物学と無縁なところを探すほうが大変だろう。がんの研究も神経疾患の研究も、さらには肥満や性格の研究にも、遺伝子が関わる。人間の全遺伝情報を解読するヒトゲノム計画の実施も、今をときめくゲノム編集技術の開発も、さらには新型コロナのメッセンジャーＲＮＡワクチンも、分子生物学が進展すればこそだ。

これほどまでに威力を発揮した分子生物学の特徴は、簡単に言えば生物を分子レベルで理解する学問ということになるだろう。いいかえれば、生命を物質で解こうとする学問である。それまでの生物学との違いは、物理学の還元主義的な手法を取り入れた点にあったと思われる。

『生命とは何か』に登場するマックス・デルブリュックは、その後「分子生物学の父」と呼ばれるようになり、一九六九年には、イタリア生まれの分子生物学者サルヴァドール・ルリア、アルフレッド・ハーシーとともにノーベル生理学・医学賞を受賞している。受賞理由となった業績は「ウイルスの増殖機構と遺伝物質の役割に関する発見」だ。

しかし、デルブリュックは最初から生物学者だったわけではない。もとは物理学者で、原子核理論や化学結合の量子論を専門としていた。

細菌に感染するウイルスであるファージの遺伝研究を始めたのは、遺伝子の物理的なモデルを提唱したあとのことである。そして、ルリアとともに分子生物学の基礎を築いたのだ（さらに一九五〇年代からは神経科学の研究に興味を示すようになり、実際にその方面の研究を行なったという。デルブリュックもご多分に漏れず、意識研究への志向性があったのだと思われる）。

デルブリュックだけでなく、DNAの二重らせんのクリックも当初は物理学者だった。これらのことから見ても、分子生物学が物理学と関係の深い分野であることがわかる。

生物を還元していけば分子にたどりつく。この分子を解明すれば生物も理解できるはずだ、というのが分子生物学の根底にある基本姿勢だからだ。

還元主義の全盛

このように素粒子物理学の発展と分子生物学の発展を見ていくと、二〇世紀科学の象徴としてたどり着くのが還元主義である。

要素還元主義は、世界を構成する複雑なシステムを理解するために、システムの要素を細分化して、一つひとつを詳しく調べる手法だ。

最も単純な還元主義の考えに従えば、生物は化学に還元され、化学は物理に還元される。生命を理解するために、生物を臓器や細胞、遺伝子といった要素に細かく分けて調べる。物質を分子や原子、素粒子にまで還元することによってその本質を探るというやり方もまた、還元主義の典型的な方法論である。

還元主義の話をしようと思ったら、古典物理学を集大成した近代科学の祖、アイザック・ニュートンにまでさかのぼらなくてはならない。彼が一七世紀に「運動の法則」と「万有引力の法則」を打ち立てて以来、ニュートン力学は三世紀にわたって世界に君臨してきた。そしてニュートン的な世界観には、還元主義的というレッテルがべったりと貼られている。

なぜかといえば、ニュートン力学は、この世のすべての現象を万有引力によって引き起こされる物体の運動に還元するからだ。

さらに物体の運動は、シンプルな運動方程式という形で書き下される。この方程式を記述するために、ニュートンは微積分法を開発した。この微積分法もまた、還元主義の象徴だと思われている。

だが、還元主義自体はなにもニュートンに端を発するわけではない。

古代ギリシアのミレトス学派は、すべての自然現象を物質の基本的構成要素によって説明しようとした。紀元前五〇〇年ごろに原子論を提案した哲学者デモクリトスとレウキッポスも還元主義の走りといえる。

二〇世紀の還元主義を振り返ると、当時の考え方がほとんど変わらないままに、二五〇〇年の時を超えて伝わっているように思える。

そしてこの流れは、物質を要素に切り刻む還元主義だけでなく、世界を成立させている基本原理を還元していって、「究極の理論」にたどりつこうともくろむ物理学者の夢にも受け継がれている。

人類の歴史が始まって以来、多くの人がこの世界を記述する「究極の原理」を探し出そうとしてきた。そして、究極の原理を追い求める試みは、多かれ少なかれ還元主義だといっていいだろう。

だが、二〇世紀末に至って、反還元主義の大きな潮流が生まれた。5章で述べる複雑系もそのひとつである。

ほころびる絶対観

還元主義とセットになっているパラダイムに機械論的な決定論がある。あるシステムが部品に還元できると考えるならば、逆にそのシステムは部品で構成された機械として見なすことができるはずだ。いいかえれば、世界は自然の法則に従って動いている巨大な機械で、だからこそ機械を部品に分解するように要素に分解していけば理解できる、というのが近代科学の思想だったわけだ。また、その逆をたどれば、部品を組み立てることによって世界も組み立てることができるという考えにもつながる。

もし世界が一定の法則に従って動く巨大な機械なら、最初の条件（いわゆる初期条件）さえ決まれば、世界がこの先どうなるのかは未来永劫決定されていると考えることもできる。このような考え方が機械論的な決定論だ。

機械論的決定論は、一七世紀の哲学者ルネ・デカルトやニュートン力学をへて、二〇世紀の科学技術の発展へとつながっていった。そのおかげで、好むと好まざるとにかかわらず、私たちの物の考え方は、かなり機械論的決定論にしばられているはずだ。

しかし、その一方で、二〇世紀は決定論的な世界観に大きくひびが入った時代だということもできる。

それを象徴するのが、アインシュタインの相対性理論、ハイゼンベルクの不確定性原理、ゲーデルの不完全性定理の三つだ。これらは、絶対的な世界観を覆した三大理論といってもいいだろう。

アインシュタインの相対性理論によれば、静止しているものと超高速で運動しているものとでは座標系が異なる。この理論により、絶対不変と思われていた時間や距離の基準は相対的なものにすぎないことが判明し、時間や距離の絶対性が根底から揺らいだ。

量子力学もまた、同じような変革をもたらした。それまで連続的に変化が起きると信じられていた自然界に、量子という不連続性が存在することを示しただけではない。量子力学を進展させたハイゼンベルクの不確定性原理によって、粒子の位置と運動量を同時に正確に測定できないことがわかった。つまり、ある特定の時点におけるこの世界の全体像を知ることは、どう頑張っても不可能だということが明らかになったのだ。これは、古典力学が指し示す決定論的世界観とはまったく相いれない世界観である。

このような絶対的世界観のほころびに追い打ちをかけたのが、オーストリアの数学者クルト・ゲーデルが一九三一年に証明した不完全性定理である。この定理は、数学の公理の中には、「正しいか、誤りか」を決定することのできない数学的命題が必ず存在することを示している。つまり、数学的な記述によって世界を余すところなく描写するのは不可能だということを明らかにしたのだ。

これら二〇世紀の科学的発見は、それまでの絶対的な世界観を覆した。それは還元主義の延長線上に分子生物学や素粒子論が着実に発展してきたのとは別の次元で、世界は相対的で不完全だという認識をもたらしたのだ。

こうしてみると二〇世紀科学は、決定論的世界観と非決定論的世界観の両方がからみあった、アンビバレントな構造をしているように思えてくる。

そして、意識研究に没頭するノーベル賞科学者を生み出した背景には、このからみあいがあったのではないだろうか。

引用・参照文献

＊1――中村量空『シュレーディンガーの思索と生涯　波動のパラダイムを求めて』工作舎　一九九三年

2章

ノーベル賞から「意識」へ

ノーベル賞を受賞したあとに意識問題に走る正統派科学者が多いのはなぜなのか。

その疑問を出発点に文献を調べるうちに、彼らをひとまとめに論じるのは難しいことに気づいた。

なぜなら、「意識志向性のノーベル賞科学者」にもいろいろな派閥があることがわかったからだ。

彼らをどのように整理したらいいのか、私は考えあぐねていた。

「一方の側にクリックの一派、もう一方の側にエックルスの一派という構図で分けて考えたらいいのではっ？」

当時、そう助言したのはカリフォルニア工科大学（カルテク）の教授に「頭脳流出」した認知心理学者、下條信輔氏だった。

念のためお断りしておくと、下條さんは「意識研究者」というわけではない。ただ、日本人としてはめずらしく、早い段階から意識の問題まで射程に入れて研究してきた実験心理学者であり、認知科学者だ。

　その戦略は「潜在脳機能研究で意識の外堀を埋める」というものだ。いいかえると、無意識下における脳機能を認知心理学的に理解することによって、意識の研究にも一石を投じるというやり方だ。

　一九九七年に雑用の多い東京大学を辞め、心ゆくまで研究しようとカルテクに移った。その後、テニュア（終身雇用資格）を獲得し、定年のない研究環境を謳歌している。研究内容が近いコッホやクリックとも親交があった（ちなみに1章に登場するコッホを紹介してくれたのは下條さんだ）。

　下條さんの言うクリック派をいいかえれば「意識は脳の機能そのものだと考える一元論派」、エックルスの側は「意識や心と脳は別ものと考える二元論派」ということになるだろう。

　そして現代的な感覚で言えば、クリックこそが意識研究の「正統派」ということになるに違いない。

　確かにこの分け方はすっきりしている。だが、困ったことに意識志向性の高いノーベル賞科学者の中には、どちらに属するとも言いがたい人がけっこういる。いいかえれば、正統派とは言えないが、たんに二元論とも言いきれない科学者が思ったより多いのだ。

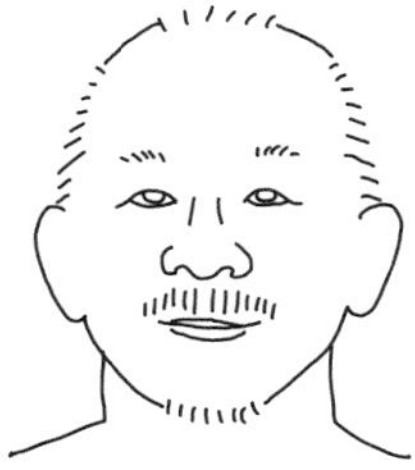

下條信輔

そこでこの章では、エックルスを含め「非正統派」と見なされている意識志向性の科学者にスポットをあて、彼らの主張をもともとの専門とからめて整理してみたい。

トップバッターにはクリックにも多大な影響を与えたシュレディンガー先生に登場を願うことにしよう。

物質から神秘主義へ

シュレディンガー（一八八七〜一九六一）

いつ終わるとも知れない論争にエルヴィン・シュレディンガーは疲れきっていた。コペンハーゲンに住む物理学者ニールス・ボーアの家に招待されてから、何日になるのだろうか。二人の意見は真っ向から対立し、どちらも一歩も譲ろうとしない。とうとう熱を出して寝込んでしまったシュレディンガーの枕元で、なおもボーアが改心を迫り、議論をふっかけてくる――。

量子力学を誕生させ、分子生物学誕生の引き金を引いたシュレディンガーは、二〇世紀科学のさまざまな側面に関わった人物である。本職は物理学者だが、たんに物理学を究めただけの科学者ではない。

むしろ、哲学者と言ってもいいような思索に満ちた生涯を送った人物だった（シュレディンガーの生涯を彩るもうひとつの大きな特徴として、女性関係の多さが知られているが、彼の哲学との関係がわからないので、ここではおいておくことにする）。

同時代の同じ分野のノーベル賞物理学者であるボーアもまた、哲学的志向の強い科学者である。そして、二人はどちらも、今世紀最大の発見のひとつといわれる量子力学の誕生に貢献し、その名を歴史に刻んだ。

それにもかかわらず、物質世界の成り立ちに対する二人の見方は、真っ向から対立したのだ。

エルヴィン・シュレディンガー

シュレディンガーがボーアの家に招かれたのは一九二六年のことである。このときシュレディンガーは三九歳、有名な波動方程式を発表したばかりだった。ボーアはひとつ年上の四〇歳で、それより四年前の一九二二年にノーベル物理学賞を受賞している。

二人が論議していたのは量子力学の解釈をめぐるものだったが、論争は二人の間だけにとどまらなかった。それどころか、数多くのノーベル賞科学者を巻き込んだ、絢爛豪華な論争に発展した。これが、1章で紹介した量子力学の「コペンハーゲン解釈」をめぐる論争である。

反コペンハーゲン派のシュレディンガーの側にはアインシュタイン、プランク、ラウエが陣取り、コペンハーゲン派のボーアの側にはハイゼンベルク、ボルン、パウリらがひかえていた。

彼らはいずれ劣らぬ科学界の大物だが、実のところこの論争は科学論争としてはなかなかわかりづらい。むしろ、哲学論争と考えたほうがまだ納得がいく。なぜなら、科学哲学で言うところの実在論の立場をとるか、実証主義の立場をとるかの違いが根底にあるように思えるからだ。

実在論は「観測しようがしまいが、物は厳然と存在する」という立場で、この場合はシュレディンガー陣営がこれにあたる。古いところでは「イデア論」のプラトンが実在論者にあたると考えられている。

一方のボーア陣営は実証主義者の集まりで、「実験し、観測できるものだけを存在するものとして論じるべきだ」と考える。最近では、車椅子の天才物理学者スティーヴン・ホーキングが実証主義者、その先輩にあたるロジャー・ペンローズが実在論者だと見なされている。

つまり、観測に特別な役割を与えるコペンハーゲン派は実証主義、観測の役割を否定するシュレディンガー陣営は実在論、と考えるとなんとなく納得がいくのだ。

その後、シュレディンガーの思索の対象は生命や精神へと広がっていったが、実在論的立場は変わらなかったようだ。波動力学の創設から三〇年以上をへた一九五八年に、七一歳のシュレディンガーが出版した『精神と物質』にも、実在論的な思想が色濃く表われている。

この本は、一九五六年にケンブリッジ大学のトリニティー・カレッジで行なう予定だった一連の講義を基にしたものだが、実際には体調を崩したシュレディンガーは自ら教壇に立つことができず、原稿が代読された。

その内容は、それより一五年近く前に書かれた『生命とは何か』に比べると科学界に影響を与えたとは言いがたい。しかし、生命について洞察をひらめかせた天才物理学者が、精神についても洞察をひらめかせていないとは限らない。

そう思ってこの本を読んでみると、意識に対するシュレディンガーの考えの二つの側面が表われていることに気づく。

ひとつは、通常の科学的思考に基づく合理的な考えで、意識は学習と結びついていると指摘する。通い慣れた道を歩いたり、よく知っているピアノの曲を弾いたりというように、何回も繰り返され、訓練を積んだものごとには意識が伴わない。ところが、ひとたび新しいことを習得するときには意識が生じる。

ここから、意識は生体が変化する環境と相互作用するところ、すなわち進化が進行しているところで現われるとシュレディンガーは解釈する。このような意識の謎解きの進め方は、『生命とは何か』

コラム

潜在記憶と顕在記憶

シュレディンガーが『精神と物質』で述べている意識と学習の話を読んで、これは最新の心理学研究が注目する「潜在記憶」の話ではないかと思った。

記憶は一種類しかないと感じられるかもしれないが、そうではなく、いくつかの分け方がある。例えば、脳が覚えていると意識している「顕在記憶」と、覚えていることを意識していない「潜在記憶」は異なる性質を持っている。

子どものころに覚えたピアノの曲は、弾き方などすっかり忘れたような気がしているのに、弾いてみると指が覚えている（いやいや、全然弾けないということもありますが）。小学校の校歌を覚えているかどうかと聞かれると迷うが、歌ってみるとすらすら口から出てくる。

これらはいずれも「潜在記憶」が働いていると考えることができる。つまり、意識に上らないところで脳が記憶している。主に「体で覚える」記憶であることから、「手続き記憶」とも呼ばれる。自転車の乗り方や車の運転を覚えているのも、これにあたるだろう。

これに対し顕在記憶は、過去に経験したことの記憶や、物事の意味を覚えているといった記憶である。「頭で覚える」記憶であり、主に言語を介していることから「宣言的記憶」とも呼ばれる。

意識を科学的に解明する手段として、無意識の側からアプローチしようという流れがある。潜在記憶はそのための手がかりとも考えられる。

に共通する非常に現実的なものだ。

無意識に注目した考えは、クリックやコッホの意識研究にも通じているし、心理学における潜在記憶の話とも結びついているといっていい。


しかし、論を進めるにつれてシュレディンガーの思索は科学を離れ、哲学的になっていく。例えば、物質的な世界は自分の精神をこの世界から取り除くことによってのみ成り立っている、との観点から、精神が物質に影響を与えたり、物質が精神に作用したりするといった物質と精神の相互作用を否定する。シュレディンガーによれば、世界は精神によって描かれ、知覚されているにもかかわらず、精神そのものは世界の中に存在しない。体の中のどこを探しても、人格、つまり意識的な精神を見いだすことはできない。

この矛盾は現在の自然科学では解くことができず、新たな科学的姿勢が必要だとシュレディンガーは主張する。

ここから彼の思考はさらに跳躍し、世界とは自我そのものであり、実在とは意識そのものという結論に達する。

複数の精神が存在するにもかかわらず、これらの精神が作り上げる世界はひとつ。この矛盾を解決するために、シュレディンガーが拠り所としたのは、精神の単一性を説く古代インドのウパニシャッド哲学だった。

西洋的な客観主義によらない、東洋的な思想によるすべての自我の統一。その考えを支える例として、ペルシアの神秘主義者の言葉までもシュレディンガーは引用する。

私自身は自分が東洋人であるせいか、東洋の神秘主義に引かれる西洋の物理学者の気持ちはわかりにくいが、シュレディンガーにとっては確かな拠り所だったようだ。

このような神秘主義的な考えが「科学的でない」と見なされることは、シュレディンガー自身もよく承知していた。

しかし、彼は自然科学者としての合理的な判断を失ったわけではなく、正統派物理学者としての合理性を持ち続けたまま、神秘主義をも肯定したのだと考えられる。時に「合理的神秘主義」といわれるのはこのためだろう。


シュレディンガーは確かに量子力学の論争に破れたように見えるが、彼が精神の問題に心を傾けたのは闘い破れて自然科学を放棄したためだとは思えない。それは、波動力学を創設したのと同時期に執筆した『道を求めて』(一九二五年)を読めばすぐにわかる。

なぜなら、それから三〇年後に書かれる『精神と物質』の原形がそこにあるからだ。

波動力学に没頭する前のシュレディンガーの頭の中を占めていたのは哲学だった、と言ってもいいだろう。三一歳のときには大学で理論物理を教えながら哲学の研究に打ち込むという具体的な計画を立てていた。戦争によってその計画は変更を余儀なくされたが、『わが世界観』に収録された『道を求めて』の中では「どのような物質的活動が意識と直接結びついているのか」という問いかけがすでになされている。

『生命とは何か』のエピローグでもシュレディンガーは精神の問題について触れている。そして「量子論的な不確定性は生物学的にみて重要な役割は何も演じていない」[*1]と明言する。

量子力学は意識研究のキーワードのひとつである。意識を解く鍵が量子力学にあると主張する科学者や哲学者はたくさんいる。だが、シュレディンガーが自我の問題について論じたのは、自らが創設した量子力学と意識の関係を感じ取ったからではなかった。

シュレディンガーは二元論を否定し、なおかつ神秘主義であるという特異な位置にあった。物質の世界を合理主義で究めながら、精神世界を考えるときには一元論的な神秘主義という立場は、複雑でわかりにくい。

おそらくこの姿勢は、通常の科学者とは相いれなかったに違いない。その中で唯一、シュレディンガーが共感を示し、さかんに引用している自然科学者がいる。近代神経生理学の父と呼ばれ、神経反

コラム
アインシュタインの脳

ノーベル賞学者と意識について考えるとすれば、アインシュタインが気になる。いかにも一家言ありそうな気がするからだ。

ところが、いろいろ調べてみてもアインシュタインが意識や精神について語った言葉はほとんど見あたらない。

あえて関係ありそうな言葉をあげてみると、「私は、意志の自由を信じません」[*2]「私たちが経験できるもっとも清らかなものは、神秘的なもの」[*3]といった程度だ。

それに比べると、アインシュタイン自身の脳がどのように扱われたかという話のほうが興味深い。

アインシュタインは一九五五年四月一八日、米国ニュージャージー州のプリンストン病院で息を引き取った。最後につぶやいた言葉がドイツ語だったために、看護婦には理解できなかったという話が伝わっている。

アインシュタインは自分の遺体を火葬にするように遺言したが、病理解剖を担当した医師は脳を保存していた。

一九九九年には、この脳の切片を分析したカナダの研究者が「視空間認知に関係のある頭頂葉下部の部分が普通の人より大きかった」という研究結果を発表して話題をまいた。

その後もアインシュタインの脳を研究したとの報告はいくつもあるが、「これぞ天才たる所以」という特徴が発見されたわけではない。

それに、いかに極端な還元主義の信奉者でも、脳の切片や画像からアインシュタインの精神を解明しようというのは、無理な相談だろう。アインシュタイン自身も愉快に思えないに違いない。

射の基礎を築いたノーベル賞科学者、チャールズ・シェリントンである。

脳から二元論へ

白状すれば、シェリントンについてはほとんど何も知らなかった。そんなノーベル賞学者がいたことさえ頭の隅にもなかった。だが、シェリントンについて知るうちに意識志向性の高いノーベル賞学者について考えるには欠かせない人物であることがわかってきた。

シェリントンの特徴をひと言で言えば「神経を調べても心はわからない」という考えに到達した神経科学者ということになるだろう。そして、「脳を調べても心はわからない」派のノーベル賞科学者はシェリントンだけではなかった。

チャールズ・シェリントン

シェリントン（一八五七〜一九五二）

シュレディンガーがストックホルムの晴れ舞台に上がるちょうど一年前、英国オックスフォード大学の神経生理学者シェリントンはその同じ舞台でスポットライトを浴びていた。ノーベル生理学・医学賞の選考委員、リリェストランド教授はシェリントンへの授賞理由を述べ、「神経系の生理学に新しい時代の到来を告げるものとなった」と称えた。

シェリントンは一八五七年ロンドンに生まれ、早い時期から生理学を研究してきた。その業績は、正確な実験に基づいて生体における反射機構とその強調作用に関する一般法則を確立したことだ。七五歳になるシェリントンの受賞はかなり遅くなってやってきた栄誉で、このときすでに彼の業績の一部は「古典」と言ってもいいほどに神経生理学の世界に定着していた。

しかし、彼はこのあともうひとつの大きな仕事をした。シュレディンガーをして「不朽の名作」と言わしめた著作、"Man on His Nature（人間　その本性）"の出版である。

シェリントンとシュレディンガーは専門分野こそ違うが、どことなく似たところがある。自然科学者としての顔のほかに、哲学者や詩人としての顔を併せ持っていた点も類似点のひとつである。シェリントンは一九二五年に詩集を出版しているし、シュレディンガーも折に触れて詩を詠んでいる。"Man on His Nature"で、シェリントンは哲学者としての側面をいかんなく発揮し、脳と心の問題に切り込んでいった。

その結果シェリントンが到達したのは、脳と心は別ものと考える「二元論」だった。シェリントンの弟子であるペンフィールドの著作『脳と心の正体』によれば、シェリントンは「脳と心の関係は、解明はおろか、その糸口さえ得られていない」と語り、「人間は二つの基本的な要素から成るという説が、一つの要素から成るという説と比べて真実性が少ないとは思えない」[*4]と結論づけた。

シェリントンがいったいいつからそのような認識に至ったのかはわからない。ノーベル賞受賞講演では実験によって明らかになった事実を述べているだけだ。ところが、その直後にケンブリッジ大学で行なった講演「脳とそのメカニズム」の中では、人間の精神を生理学と関連づけることを否定したというから、シェリントンの頭の中では、そのような疑いがかなり前に芽生えていたのかもしれない。

シェリントンは、生命は個々の生命ある細胞の集積からなるが、精神は違うという矛盾に悩む。

シュレディンガーは『精神と物質』の中で、“Man on His Nature”から次のような言葉を引用している。

「精神、それは決して知覚しうるものではない。(中略)それは『物』ではない。それは感覚的に確認できないものである。そして永遠に、確認することはできないのである」[*5]

冷静な自然科学者であり、しかもウパニシャッド哲学に偏見を持たなかったという点で、シュレディンガーはシェリントンに敬意を表した。しかも、「多くの神経細胞によってひとつの精神が実現している」という、生物に関する豊かな知識をもってしても解決できない矛盾を、シェリントンがさらけ出していることも評価している。

しかし、シェリントンは二元論を主張した点で、二元論を否定したシュレディンガーとは到達点が異なる。

シュレディンガーの神秘主義的一元論もそうかもしれないが、正統派科学の見地から言えば二元論もまた、「異端」そのものと受け取られるに違いない。それにもかかわらず、二元論にたどりついた正統派科学者は想像以上に多い。しかも、彼らにはある共通項があるように見える。

脳や神経を科学の対象としてきた科学者である、という点だ。

例えば、オーストラリア生まれの大脳生理学者ジョン・エックルス卿はさまざまな意味でシェリントンの直系とでもいうべき科学者である。

エックルス（一九〇三〜一九九七）

「哲学者や心理学者は脳について全然理解していない」

茶色の背広に茶系のネクタイを締め、茶色の縁の眼鏡をかけたジョン・エックルス卿は脳の神経が描かれたスライドを指し示しながら、きっぱりと述べた。

一九九〇年、井口記念「人間科学」振興基金に招かれて来日したエックルス卿は八七歳とは思えないほどかくしゃくとした様子で、「人間とは何か——科学と哲学の接点から」と題して脳と心についての持説を展開した。

脳研究の日本の大御所、伊藤正男博士の師匠であるエックルス卿はオーストラリアに生まれ、メルボルン大学を卒業したのちに、一九二五年からオックスフォード大学で前述のシェリントンに師事した。その後、ニュージーランドのオタゴ医科大学の教授となり、一九四四年に神経細胞における抑制性シナプスを発見した。

この業績によってアラン・ホジキン、アンドリュー・ハクスリーとともに一九六三年にノーベル生理学・医学賞を受賞している。

シナプスは神経細胞同士をつなぐ接合部分で、神経繊維を伝わってきた興奮を次の神経細胞に伝える働きがある。当初は、次の細胞を興奮させる興奮性シナプスしか知られていなかったが、興奮を抑える働きの抑制性シナプスもあることをエックルスが発見したのだ。

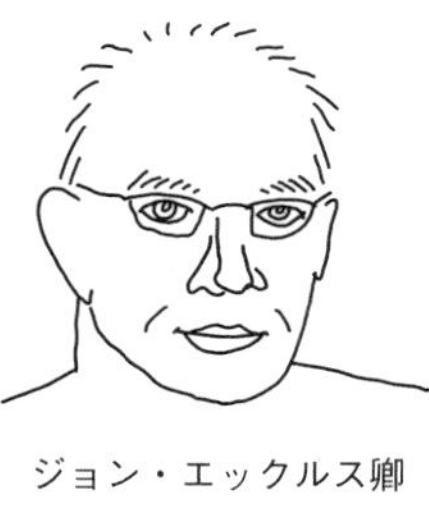
ジョン・エックルス卿

エックルスはその後もキャンベラのオーストラリア国立大学、シカゴの生物医学研究所、ニューヨーク州立大学バッファロー校など各地の研究機関で要職に就き、一九七五年に引退してからはスイスに移り住んだ。
エックルスは実験科学者だったが、実験的な研究についての著作を発表したのは一九六七年の共著までで、一九六八年にニューヨーク州立大学に移ったころから、もっぱら心と脳の問題にターゲットを絞った。スイスに移ってからも、多くの「脳と心」をめぐる著作を著わしている。

科学哲学者のカール・ポパーに強い影響を受けたエックルスの基本的なスタンスは、「二元論的相互作用説」だ。この相互作用を示すエックルスの有名な図があり、日本での講演でもこの図をスライドで示しながら熱弁を振るった。

エックルスは、世界全体を物質的な世界である「世界一」と、心の世界である「世界二」とに区別する。そして、「世界二」には心と直接連絡する「連絡脳」があると考えた。つまり、心と脳は密接に結びついているが別もので、連絡脳を介して相互作用している、というのが彼の基本的なスタンスなのだ。

しかも、彼はたんにこの考えを哲学的に思考しただけではない。「哲学者は脳について理解していない」という発言からもわかるように、彼が長年培ってきた脳についての科学的な知識と融合させようとしたのだ。

抑制性シナプスは、二〇世紀科学を象徴する実証研究に基づいて発見された。この発見に哲学が含まれているとは思っていなかったが、エックルスにとっては実証科学と哲学の間に明確な接点がある。それはどうやら、宗教とも関係しているようだ。

彼は共著『心は脳を超える』の中で「自我とはすなわち魂のことであり、それは、自然神学的な意味での神の摂理によって、胎生期のいつかに私たちの肉体に宿るのだと信じる」[*6]と述べる。そう言われると、無神論の日本人としてはとまどいを感じてしまう。

エックルスの愛弟子である伊藤さんは、一九九七年五月に九四歳で逝去したエックルスの追悼文をネイチャー誌に寄せて、「心脳問題の解決に対するエックルスの貢献が、適切に評価されるまでには時間がかかるだろう」と感想を述べている。

さらに伊藤さんが、エックルスの『自己はどのように脳をコントロールするか』のために書いた序文には、もっと率直な気持ちが表われている。

「ジョン・エックルスを二元論者、唯心論者という色眼鏡でみてほしくない。著者は（中略）現代神経科学の基礎を築いたその人である」[*7]

小脳の研究で知られる伊藤さんは、私たちのノーベル賞受賞者山かけリストにも入っていた。残念ながら二〇一八年に亡くなってしまったが、その五年前にも専門誌「BRAIN and NERVE」の連載「現代神経科学の源流」で次のように語っている。

「科学者というのは、ほとんどみんな一元論でしょう。だから抵抗するわけですよ、エックルスが二元論の話をしても。そうすると、ますます機嫌が悪くなって（笑）。あれは本当に困ったなぁ」

「シェリントンがみた夢を引き継いで、シナプスなどの問題を解明し続けてきて、最後に大脳で一元論か二元論かの決着をつけるようなハメになって、敗北してしまったけれど、それは、現在の神経科学の限界をみせたという側面もあるんだよね[*8]」

恩師エックルスが二元論者になってしまったことへのとまどい。科学者としての業績はこんなに正統なのに、なぜ？　という思いがそこににじんでいる。日本の科学者の中には伊藤さんの気持ちに同調する人は多いだろう。

だが、エックルス本人にとってはどちらも彼自身だったに違いない。なぜなら、エックルスの出発点は神経科学ではなく、二元論の哲学だったからだ。

若いころから哲学の勉強をしてきたエックルスは、脳と意識的な経験との関係を考える上で脳の知識が欠落していることに気づいた。そこで、脳の研究に専念することにしたという。

つまりエックルスは一元論――唯物論を否定し、二元論の立場を維持したまま脳科学に取り組み、その結果として伊藤さんが言うような現代神経科学の基礎を築いたのだ。

一九五三年に『Neurophysiological basis of mind（心の神経生理学的基礎）』を著わしたあとは、二〇年近く哲学するのを意識的にお休みし、神経科学に挑戦したという。そして、一九六九年に「脳と魂」という演題で講演を頼まれたことをきっかけに、哲学を再開した。

エックルスにとって二元論は「灯台の光のように、錯綜した神経科学の研究で私が進むべき道筋を示してきた[*7]」。つまり彼は、自分の哲学的信念を実証しようとして神経科学を追究し、その態度を変えることなく生涯を終えたのだ。

エックルスは、二元論と一元論という立場の差こそあれ、シュレディンガーが『精神と物質』で提起した、どのような特殊な性質が脳に世界を顕在化させる力を与えているのか、という問題に関心を示している。

元の出発点が哲学で、一定の時期だけ自然科学の研究に没頭した点でも、エックルスとシュレディンガーは同類に見える。

スペリー（一九一三〜一九九四）

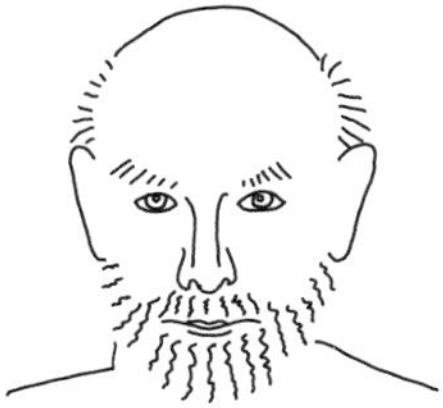

ロジャー・スペリー

脳を研究していれば、心の問題を考えないわけにはいかないのだろうか。一九八一年にノーベル生理学・医学賞を受賞した大脳生理学者ロジャー・スペリーもまた、脳と心の関係を考え続けた一人だ。

彼を世界的に有名にした研究は「分離脳」の実験だった。てんかん治療の最後の手段として、左右の脳を切り離す手術を受けた患者を対象に実験を行ない、右脳と左脳の役割分担と統合的な働きを明らかにしたのがその業績だ。

「分離脳」の研究はまさに正統派科学の実証的研究に基づく業績だが、その一方で意識の問題と密接にからみあっている。なぜなら「分離脳」は、あたかも一人の人間の中に二つの異なる意識が存在するような現象だからだ。そう考えると、彼が心と脳の問題へと考えを進めたのは当然のなりゆきだったといえるだろう。

彼は一九八一年一二月のノーベル賞受賞講演でも、分離脳の研究から出てきた最も重要なもののひとつとして、意識の本質についての考え方の修正と、意識と脳の処理過程の関係をあげている。スペリーがたどりついた脳と心の関係は、古典的な二元論でも、唯物論でもなく、本人の弁によれば「新しい二元論」だ。「メンタリスト（心理主義者）の一元論」とか「創発的相互作用主義」などと呼ばれることもある。

なんだか、おどろおどろしい命名だが、スペリーが言わんとしていることはさほど込み入った話ではなさそうだ。

スペリーはかつて、唯物主義的な行動主義の信奉者だったが、あるとき、反機械論的、非還元主義的な心理主義へと路線を変えた。そして、心の状態は生理的、物理化学的要素から作られてはいるが、そのような要素に還元することはできない、という結論に達した。なぜなら、構成要素に還元することによって、心というシステムに備わっている時間的・空間的成分を壊してしまうからだ。

還元主義のかわりに、彼が注目したのが創発性だ。脳の構成要素が相互作用することによって、要素の総和以上のものが生じる（創発する）という考えだ。

つまり、原子から分子、分子から細胞、細胞から神経回路、神経回路から意識的過程というように、階層構造の階段を上がる際に、その下のレベルにはない性質が創発するという。ただし、このときにスペリーは、心を物質の上位においている。さらにスペリーは、上位レベルが下位レベルに影響を与えるという考えを示している。

スペリーは古典的な二元論を否定しながらも、エックルス卿には好意的だ。エックルス卿のほうも、スペリーは自分たちの仲間だと考えている節があり、普通の一元論とは一線を画していると見るのが正しそうだ。

ペンフィールド（一八九一〜一九七六）

スペリーと同じようにてんかん治療の過程で人間の生きた脳に触れ、最終的に「二元論」に到達してしまった科学者はほかにもいる。米国生まれでカナダのマギル大学で研究を続けた脳外科医、ワイルダー・ペンフィールドだ。

ノーベル賞こそ受賞していないが、彼の業績は非常によく知られている。少しでも大脳生理学をかじったことのある人にペンフィールドと言えば、ああ、あの脳を電気刺激した人ね、という反応が返ってくるはずだ。

人間の脳に電極を使って電気を流したら、過去の記憶がまるで走馬灯のようにフラッシュバックした、というのがペンフィールドを世界的に有名にした業績である。

今だと、人体実験の倫理コードにひっかかってしまいそうな話だが、彼が一連の実験をした当時は、決してめずらしい話ではなかったらしい。

彼は、てんかんの患者に外科手術を施しているときに、初めて患者の口からフラッシュバック現象が生じたことを聞いた。そのときの体験を、彼は「自分の耳が信じられなかった」と表現している。

脳の電気刺激はもともと、てんかんの原因となる部位を探し、病巣を切除するために実施された。脳のある部分を刺激して、てんかんの発作の始まりと同じ状況が再現されれば、そこが病巣だという考えだ。

彼が一一三二人の症例を集めて分析した結果、このようなフラッシュバック現象は、脳の側頭葉を刺激したときにだけ現われた。このことから、ペンフィールドは最初、側頭葉に過去の経験が記録されている「記憶領域」があると考えたが、のちに、現在の経験を過去の経験に照らして解釈する「解釈領域」があるというふうに考えを改めた。

つまり「解釈領域」を電気刺激すると、脳幹の上部にある間脳を活性化し、そこに記録されていた過去の記憶を蘇らせる、と考えたのだ。

さらにペンフィールドは、心に直結した最高位の脳機構として、上部脳幹の特定の部位を想定した。一方、自動的な感覚・運動機構も上部脳幹にあると考えた。脳幹は脳から大脳と小脳を除いた部分で、生命維持の働きを担っている。

まとめて言えば、脳幹上部には、（1）最高位の脳機構（2）自動的な感覚・運動機構（3）経験の記録の機構の三つの仕組みがあって、正常な意識を支える脳幹の統合・調整作用において、独自の役割を果たす、ということになる。

だとすれば、最高位の脳機構が意識の座なのか、と思ってしまいそうだが、ペンフィールドは「それが心の働きをすべて受け持つと考えるのはばかげている」と却下し、一気に二元論へと飛躍する。その確信を支えているのは、「心の働きと考えられるものは、電気刺激やてんかん性の放電によってはひとつも誘発されない」という実験結果だ。

ペンフィールドはこう語る。

「心を脳の働きのみに基づいて説明しようと長年にわたって努めた後で、人間は二つの基本的な要素から成るという説明を受け入れる方が、素直ではるかに理解しやすいと考えるに至った」「脳の神経作用によって心を説明するのは、絶対に不可能だと私には思える」[*4]

いいかえれば、「脳と心は別ものだ」と言っているのだ。

新しい物理を

ここまで、二元論や神秘主義に走った正統派科学者をみてきたが、彼らはちょっと古い考えの人たちという印象があるかもしれない。一元論対二元論のあからさまな闘いは、最近は耳にしなくなっている。

そのかわりといってはなんだが、かなり派手な論争を巻き起こし、今に至るまで影響を与えている科学者がいる。ひと言で言えば「意識の問題を解くには、まったく新しい物理学が必要だ」と主張する人たちである。

その代表選手として、改めてサー・ロジャー・ペンローズにおでましを願うことにしよう。

ペンローズ（一九三一〜　）

サー・ロジャーの最近の話題は、なんといっても二〇二〇年のノーベル物理学賞受賞だろう。

彼は知る人ぞ知る天才的な数理物理学者で、相対論の大家といわれてきた。ナイトの称号も持っている。ペンローズ・タイルの考案者として知っている人もいるかもしれない。

ノーベル賞の受賞業績は、六〇年近く前の一九六四年、三〇代の前半に提案したブラックホールを記述するための数学だ。ここからアインシュタインの一般相対性理論に従えば宇宙の進化の自然なプロセスとしてブラックホールが形成されることが示されたのだ。

ブラックホールの中心に既知の自然法則がすべて消滅してしまう「特異点」が存在することも示した。

かつてはSFの世界の話だと思われていたブラックホールは、観測によって今や現実のものとなり、理論家にノーベル賞をもたらした。ペンローズが数理物理学という正統派科学の世界で押しも押されぬ業績を持つ人物であることは間違いない。

だが、実のところ私にとってのペンローズはブラックホール理論とは別に、「量子脳理論」を提唱する異色の科学者だった。

それを象徴するのが、彼が一九八九年に出版した『皇帝の新しい心』である。

意識に対する独自の考え方を述べたこの本は、思いもかけぬ大反響を巻き起こした。なぜなら、この本の主題は、「コンピュータも意識を持てる」という人工知能の考えを真正面から批判するものだったからだ。

ペンローズの考えをはしょって言えば、

（1）ゲーデルの不完全性定理により、真理ではあるが、証明も否定もできない数学的な命題があることがわかっている。いいかえれば、アルゴリズムに基づくコンピュータには絶対に計算できない命題がある。

（2）人間には命題が真理かどうかわかる数学的な理解力がある。

（3）従って、人間の思考や意識は非計算的である。

という三段論法だ。

これをさらに敷衍すれば、「アルゴリズムに基づくコンピュータが意識を持つことはない」ということになる。

一方、量子力学には非決定論的で、非アルゴリズム的なところがある。従って、意識には量子力学が関係しているはずだ、とペンローズは考える。そこから出てきたのが「量子脳理論」だ。

しかもペンローズが意識と関連させて考えているのは、たんなる量子力学ではなく、アインシュタインの相対性理論と量子力学を統一する「量子重力理論」である。

『皇帝の新しい心』への反響や批判に応えて出版した『心の影』では、量子効果を生む脳の器官として、微小管を提案した。つまり「意識の座は微小管にあり」という、非常に大胆な仮説を唱え、燃え盛る論争の火に油を注いだのだ。

実はこの仮説は、アリゾナ大学の麻酔学者で、意識研究も行なうスチュワート・ハメロフの発案が基になっている。ハメロフはペンローズの『皇帝の新しい心』を読んで、それまで自分が考えてきた微小管と意識の関係がペンローズの理論にマッチすることに気づいた。そこでペンローズに手紙を書き、共同研究が始まったという。

この説を耳にしたときには、正直いって冗談だろうと思った。そんな説を唱えるのは、ちょっと向こう側に行きすぎてしまった人では？　とさえ思った。生物学をちょっとでもかじったことがある人にとっては、微小管は細胞内のありふれた小さな器官だとしか思えないからだ。

世界の学者たちもそう考えたようで、ペンローズの仮説をめぐっては大論争が勃発した。「コンピュータも意識を持つ」という立場をつらぬく哲学者のダニエル・デネットらがその急先鋒となった。ペンローズ＝ハメロフ・モデルの批判者たちは、「意識は神秘的である。量子力学も神秘的である。だから意識には量子力学が関係しているという、単純な三段論法にすぎない」と揶揄した。微小管については、こんな説はうそっぱちに決まっていると批判する人たちが日本の科学者の中にもいた。

ダニエル・デネット

ただ、彼らのモデルが正しいかどうかは別として、ペンローズもクリックと同様に、意識の問題を科学の表舞台に登場させるのに一役買ったことは間違いない。むしろ、この反響の大きさこそが意識研究の推進力になってきたと思える。

それに、少なくとも『皇帝の新しい心』を読む限り、ペンローズの主張は納得しやすいものばかりだ（いけないのは、微小管の話をペンローズに吹き込んだハメロフだ、という批判もあるようだ)。

それにしても、相対論の大家であるペンローズは、なぜ意識研究に乗り出したのか。どうやらそれは、突然の気まぐれではなさそうだ。二〇〇五年の「考える人」での茂木健一郎さんのインタビューに答えて、「意識の問題には、どういうわけか子どもの時から興味を持っていました」と語っている。*9

その後、大学院生の時にチューリングやゲーデルの理論を学び、「人間には意識があるからこそ、コンピュータにはできないことができる」という考えに至ったという。裏を返せば、当時からコンピュータに意識は再現できないと考えていたわけだ。

その考えをすぐに発表する気はなかったが、ある時、「人工知能の父」といわれるマービン・ミンスキーがAIについて、とても楽観的な見通しを語っていたことがきっかけで、『皇帝の新しい心』を書いたという。

ミンスキーについては4章で紹介するが、「人工知能は当然、意識を持つ」と主張するバリバリの機能主義者だ。

ペンローズはその後もさまざまな機会に、意識と量子力学、数学の関係を語っている。ノーベル賞を受賞した後も、きさくに話す様子は変わらない。

九〇歳を超えてもその弁舌はさわやかでチャーミング。惚れ惚れしてしまうほどだ。

二〇二二年一二月には、「close to truth」という番組のオンラインインタビューで、『皇帝の新しい心』から三十数年をへた今の状況を聞かれ、次のように答えている。

「私自身の基本的考えは以前と同様です。一般の人がどう思っているかはわかりませんけど」

同じ時期の英科学雑誌「ニューサインティスト」のインタビューでも、「意識は計算可能な物理を超える」と改めて話している。「必ずしも科学を超えると思っているわけではありません。むしろ、量子力学がまだ不正確で、意識は私たちがまだ知らない理論に基づいていると思っているんです」という主旨のことを語っているから、心変わりはしていないようだ。

微小管を提案したハメロフと仲違いした様子もない。二〇二二年の八月、九一歳の誕生日を前に、カリフォルニア大学サンディエゴ校の天体物理学者が司会するウェビナーで、ハメロフといっしょにしゃべっている。

ただ、最近は微小管説に肩入れしているようにはみえない。

ウィグナー（一九〇二～一九九五）

新しい物理の必要性を唱えた数理物理学者はペンローズだけではない。ハンガリー生まれのユージン・ウィグナーもその一人だ。

コンピュータの開発に貢献したジョン・フォン・ノイマンらとともに量子力学の基礎的問題について重要な研究を実施した人物である。

一九六三年には「原子核と素粒子の理論における対象性の発見と応用」の業績に対し、ノーベル物理学賞が授与された。理化学辞典をみると、ウィグナーの名前がついた関数や定理、法則などがずらっと並んでいて、影響力の大きさがよくわかる。

意識とウィグナーの関係について語るときによく引用されるのは、彼が一九六九年に米国哲学協会会報に発表した「人間は機械か」という論文だ。

同じ数理物理学者のアーウィン・スコットによると、ウィグナーはこの論文で、機械論的な生命観は不完全であると語り、「物理学的プロセスと心的状態をどう結びつければよいかについて、現在のところ漠然とした見通しさえないことは事実だ」と主張したという。

結果的にウィグナーは、心の本質を理解するためには、現在の物理法則は変更の必要があるという結論に達する。ウィグナーは一時、量子力学を意識と結びつけて考えていたが、やがて、オーソドックスな量子力学は、脳のようなマクロな（巨視的な）システムには応用できないと考えて、このアイディアを撤回した。

彼がペンローズの考えに賛同したかどうかはわからないが、「意識の解明には、たんなる量子力学以上のものが必要だ」と考えた点で、ペンローズの仲間だったと言えるだろう。

科学から超心理学へ

シュレディンガーは物質の世界を合理的精神で解きあかし、生命の謎についてもその路線を通しながら、精神や意識の問題を考えるにあたっては神秘主義者だった。

身体と心は別ものではないと考える一元論者でありながら、神秘主義者でもあるシュレディンガーの思想は、なかなか理解がむずかしいが、それ以上に理解しにくいケースがある。ジョセフソンのように、超常現象や超能力までも研究対象に取り入れたノーベル賞学者の存在だ。

しかも、驚くことに、超心理学へと興味を移したノーベル賞科学者はジョセフソン一人ではなかった。

カレル（一八七三〜一九四四）

書店で見かけた本を何の気なしに手に取ったときに、「ブルータス、おまえもか」と叫びたい気分にさせられたのは、アレキシス・カレルの著書『人間　この未知なるもの』だった。

フランス生まれの外科医で生理学者であるカレルは、血管縫合術と臓器移植法を開発した業績で一九一二年にノーベル生理学・医学賞を受賞した。

『翼よ、あれがパリの灯だ』で知られる飛行家、チャールズ・リンドバーグと親交があり、二人は協力して人工心臓を発明している。

これだけ聞くと、カレルは非常に現実的で実際的な科学者だと思える。人間をある種の物質のように扱った結果として、これらの業績が上げられたのではないかとさえ思える（臓器移植に対する偏見かもしれませんが）。

しかし、『人間　この未知なるもの』を読んで、そのイメージはがらがらと音をたてて崩れ去った。カレルは「透視（クレアボイアンス）とテレパシーは重要な科学的観察対象である」と言い切っている。カレルにとっては、心霊学の研究も、心理学や生理学の研究と同じ意味を持っていたようだ。

彼がそう考えたひとつの理由として、科学的発見における「ひらめき」の重視があるように思える。「天才は観察力と理解力があるばかりでなく、直観力とか創造的な想像力のような資質をも備えている」とカレルは言う。そして、直観によって導かれる知識を「透視やシャルル・リシェが言う第六感に非常によく似ている」と指摘する。

つまり、心霊現象は天才的な科学者に必要なものだと言っているようなのだ。

実は、カレルが引用したフランスの生理学者リシェもまた、心霊研究を行なったノーベル賞学者である。リシェの正統派科学者としての業績は、免疫の過敏反応によるアナフィラキシーの発見である。この業績により一九一三年にノーベル生理学・医学賞を受賞している。

アナフィラキシーは過剰な免疫反応で、くしゃみや下痢、嘔吐、呼吸困難などの全身症状を引き起こして死に至ることもある。いわゆるアナフィラキシー・ショックだ。そば粉アレルギーなのに、知らずにそば粉入りクレープを食べて危うく死にそうになった人を知っているが、食物アレルギーによるアナフィラキシー・ショックはかなり注目を集めるようになっている。

新型コロナワクチンの副作用としても注目されている。

そのリシェは、一九一九年には国際心霊学研究所を設立し、所長に就任してしまった。理由はよくわからないが、日本の心霊科学の本にも心霊現象を研究した代表的な科学者の一人として紹介されているほどだから、かなり本気で取り組んでいたに違いない。

話をカレルに戻すと、彼はやがて宗教的聖地ルルドでの「奇跡」による病気の治癒にまで足を踏み入れた。ご存じの人も多いと思うが、ルルドはフランスの南西部にある村で、一八五八年にこの村の少女が聖母マリアを目撃して以来、奇跡によりさまざまな病気が治癒する場所として世界中から人が訪れるようになった場所だ。カレルは、一九〇二年からこの奇跡による治療の研究を始めた、と告白する。

当時の科学界が心霊現象に寛容だったからそんなことができたのだと思われるかもしれないが、決してそういうわけではなさそうだ。「若い医師がそういう対象に興味を持つのはむずかしいことでもあり、また将来出世するためには危険でもあった」とカレル自身が述べている。当時も心霊現象が正統派科学と相いれなかったことは間違いない。

それにもかかわらずカレルは、人間を総合的に理解するためには心霊現象までも含めて考えるべきだとの確信を表明している。これはジョセフソンの考えに匹敵する。

直観と科学的能力の考え方についても、カレルとジョセフソンには共通項がある。ジョセフソンは、通常の意識の下では直観力は抑えつけられ、瞑想によって科学者が能力を高められる可能性を主張している。

超心理学へと向かう科学者には、直観力への強い思い入れがあるのではないだろうか。

「あー、ジョセフソン」。クリストフ・コッホは肩をすくめた。口がへの字に曲がっている。「コメントすることはないな」。そう言ったきり、口をつぐんでしまった。

これは以前、東京でインタビューした時のことだが、予想された反応だった。おそらく、彼の共同研究者だったフランシス・クリックも同じような反応を示したに違いない。なぜなら、超心理学に向かうアプローチは、クリックとコッホが掲げる「現代科学で実験に基づいて意識を研究しよう」というアプローチとは、まったく相いれないからだ。

次の章では、二〇世紀科学の延長線上で意識の問題にアプローチする「正統派」ノーベル賞科学者を紹介しよう。

引用・参考文献

＊1――E・シュレーディンガー『生命とは何か　物理的にみた生細胞』岡小天・鎮目恭夫訳　岩波書店　一九五一年

＊2――マイケル・ホワイト＋ジョン・グリビン『素顔のアインシュタイン』仙名紀訳　新潮社　一九九四年

＊3――アリス・カラプリス編『アインシュタインは語る』林一訳　大月書店　一九九七年

＊4――ワイルダー・ペンフィールド『脳と心の正体』塚田裕三・山河宏訳　法政大学出版局　一九八七年

＊5――エルヴィン・シュレーディンガー『精神と物質　意識と科学的世界像をめぐる考察』中村量空訳　工作舎　一九八七年

＊6――ジョン・C・エックルス＋ダニエル・N・ロビンソン『心は脳を超える　人間存在の不思議』大村裕・山河宏・雨宮一郎訳　紀伊國屋書店　一九八九年

＊7――ジョン・C・エックルス『自己はどのように脳をコントロールするか』大野忠雄・齋藤基一郎訳　シュプリンガー・フェアラーク東京　一九九八年

＊8――伊藤正男×酒井邦嘉「現代神経科学の源流ダイジェスト」*BRAN and NERVE* 71（12）2019

＊9――「ロジャー・ペンローズインタビュー　ペンローズへの巡礼　前篇」考える人　二〇二〇年一〇月二一日　https://kangaeruhito.jp/interview/16842

3章

哲学？ いや科学で解こう

「問題は、きちんとした実験データを十分に示せるかどうかだ。そうでなければ、推論としてはいいけれど、事実が伴わないということになってしまう」

二〇世紀末、フランシス・クリックとともに意識研究の旗を振ったクリストフ・コッホはそう主張していた。

もはや心身問題を哲学している段階ではない。意識は実験的にアタックできる問題になったのだと彼らは考えていたのだ。

だとすれば、意識の問題は二〇世紀の実験科学の手法である還元主義で解けるのか。「哲学者の多くは解けないと考えている。ペンローズも根本のところで新しい量子重力が必要だと考えている」とこの時コッホは解説した。

では、クリックとコッホの考えは、従来までの還元主義で意識は解ける、というものだったのだろうか。

クリック（一九一六～二〇〇四）――視覚の不思議がカギを握る

ワトソンとともにDNAの二重らせん構造を発見したクリックは、一九七七年に英国から米カリフォルニア州サンディエゴにあるソーク研究所に移籍し、脳や意識の理解を追求した。

少し南下すればメキシコという場所に位置するサンディエゴは太陽のまぶしい街で、ソーク研究所は輝く海を見下ろす高台に建っている。研究室の窓には海が広がり、うっかりするとのんびりしすぎて研究ができないのではないかと思うような環境だが、そんな凡人の心配をよそに、優秀な研究者を輩出している。

フランシス・クリック

残念ながら晩年のクリックは、よほどのことがなければジャーナリストのインタビューには応じなかった。私も何回かアプローチしてみたが、結局インタビューはかなわなかった。

八〇歳を超えても論文を書き続けていたクリックが、どこの誰とも知らない日本人記者とのインタビューより、意識の研究や思索に貴重な時間を費やしたいと思うのは、当然と言えば当然だ。

当時の研究所のクリックのホームページには、「私の主な関心は哺乳類の脳、とりわけその視覚システムにある」とあった。神経科学の言葉で視覚的注意について説明したい。そのために、短期記憶をはじめとする記憶のある側面や、視覚的注意と視床との関係に関心を持っている、と述べていた。

「意識（Consciousness）」だの「こころ（Mind）」だのという言葉は、少なくともここには出てこない。だが、クリックの意識研究への傾倒ぶりは、彼が一九九四年に出版した著書『DNAに魂はあるか　驚異の仮説』を読むとよくわかる。

前にも述べた国際シンポジウム「物質・生命・精神」では、「脳と心について語るときに、最も問題になるのは意識だ」と発言している。

クリックは意識の科学的研究の突破口として「視覚的知覚」に焦点を当てていたのだ。

もともとは物理学者だったクリックは、一九四九年にロンドン大学からケンブリッジ大学の分子生物学研究所に移り、ワトソンと出会った。二人は試行錯誤の末にDNAが二重らせん構造をしていることを突き止めた。その業績によって一九六二年、モーリス・ウィルキンズとともにノーベル生理学・医学賞を受賞している。

この発見がどのようになされたかは、ワトソンが書いた'The Double Helix'（邦訳『二重らせん』）に生き生きと（というか赤裸々に）描かれているが、本の書き出しには「ぼくはフランシス・クリックがひかえめにしているところを見たことがない」とある。

旺盛な好奇心、ものおじしない批判精神、話し出すと止まらないおしゃべり。そのエネルギーは、かつて生命を分子の言葉で説明することに成功し、その後は意識の謎の解明に向けられた。自ら意識研究のアイデアを提案するだけでなく、今こそ意識を科学的に研究するべきだと公言し、意識研究推進のプロパガンダにも努めていたのだ。

クリックは、意識解明の突破口として視覚を選んだ理由として、ヒトが視覚的動物であること、多くの実験的・理論的研究がすでに蓄積されていることをあげていた。

我々にとって、視覚はあまりにもあたりまえの存在で、たんにそこにあるものをそのまま見ているだけだという気がする。深淵な「意識」とはあまり関係がないように思える。ところが、視覚の研究者に言わせれば、「見る」という行為は思った以上に複雑で、哲学的とも言える側面を持っているのだそうだ。

例えば、視覚心理学者がよく例に出すネッカー・キューブという図形がある。誰でも見たことがある立方体の絵だと思うが、しばらく見つめているとそれまで手前に見えていた側面が、後ろ側に回って見える。まるで頭のスイッチがパチッと入れ替わるように、図形の見え方が変わる。目から入ってくる視覚情報は一種類なのに、脳の処理が一

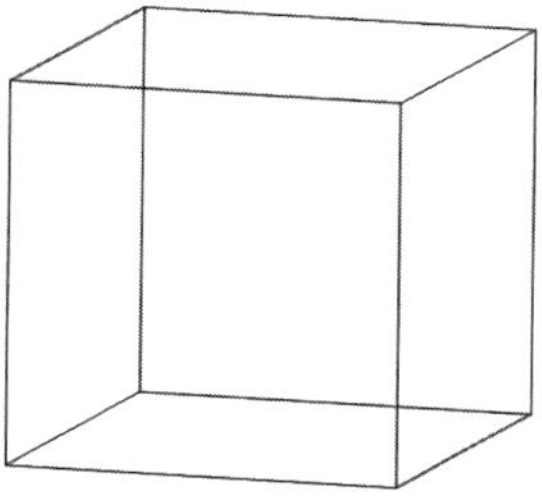

ネッカー・キューブ

コラム

見えないのに見えている

人間の脳と認知の関係を知る手がかりとして、脳損傷の患者の認知機能を調べる方法がある。神経心理学とも呼ばれ、「脳のどこがどのように壊れたら、脳の働きにどのような変化が生じるか」を手がかりに脳機能を調べる学問だ。

例えば、「ブラインドサイト（盲視）」と呼ばれる現象は神経心理学が明らかにした奇妙な現象である。

脳に重大な損傷を負った結果、視野の一部が欠けてしまう場合がある。このような患者は、視野が欠損している部分に何かを見せられても見えない。

ところが、この欠損している視野に刺激を出して、「あてずっぽうでいいから答えてください」と強制的に刺激のありかを答えてもらう実験をすると不思議なことがわかる。患者自身が「見えていない」と主張しているにもかかわらず、でたらめとは考えられないほどの正解率を示すのだ。

これは、意識の上では見えていないのに、脳のどこかでは無意識的な情報処理がなされていると解釈することができる。

なぜこんな現象が現われるのか不思議だが、同じような盲視現象は健常人でも働いている可能性があることがわかってきた。

通りでないことを示している現象だ。

また、見えないはずなのに見えている「ブラインドサイト（盲視）」という不思議な現象もある。脳の一部が損傷を受けて、本人は何も見えないと言っているのに、光刺激を出して強制的にそのありかを指し示してもらうと、偶然とは思えない正答率を示す現象だ。

プロローグで紹介した一九九六年のシンポジウムでも、クリックは意識を考える上で重要な研究として、ブラインドサイトや視覚的知覚をあげ、意識研究に重要なことは、哲学的な問いを保留して、脳の働きについて考えることだと主張した。

これはまさに、著書『ＤＮＡに魂はあるか』の冒頭で述べている主張に通じる。

すなわち「私の言う『驚くべき仮説』とは、あなた――つまりあなたの喜怒哀楽や記憶や希望、自己意識と自由意志など――が無数の神経細胞の集まりと、それに関連する分子の働き以上の何ものでもないという仮説である[*1]」。

クリックはコッホと組んで、意識をめぐるさまざまな仮説を提唱したり、ほかの研究者の仮説を支持したりしていた。その中から代表的なものをピックアップしてみよう。
・サーチライト仮説　意識研究のキーワードのひとつに「注意（アテンション）」がある。簡単に言

コラム

注意が立ち上がるとき

「注意（Attention）」は心理学の重要な概念だ。意識との関係で注目度が上がってきた分野でもある。

日常生活で「注意して」という場合は、意識的に注意をそちらへ向けることを示している。つまり、自分でそちらに向けようとする意図的な注意である。

心理学で言う注意にはもうひとつある。刺激に応じて思わず立ち上がってしまう無意識的な注意で、例えばパーティーで談笑しているときに、隣のグループの誰かが自分の名前を口にすると、それが突然聞こえてくるといった現象に象徴される（カクテル・パーティー効果）。

いったいなぜ、このような二種類の注意があるかに手がかりを与える説として、古くから心理学者のブロードベントが唱えた「フィルター説」がある。この説によれば、人間の知覚系に飛び込んでくる外界の情報はあまりにも膨大で、いちいち意識的に処理していてはとても間に合わない。そこで、脳が情報にフィルターをかけて、重要なものだけをより分けているのだという。

こうしてみると、「見える」とか「聞こえる」といった意識に上る知覚（すなわちアウェアネスを伴う知覚）は、実は膨大な無意識的な情報処理の上に頭を出した氷山の一角にすぎないということがわかってくる。

えば、注意のサーチライトがあたっている部分と、その外側とでは情報の処理のされ方が異なり、サーチライトがあたった部分だけが意識化されるというのがこの仮説の考え方だ。

・四〇ヘルツ同期説　脳の機能には「結合問題」とか「結びつけ問題」とか呼ばれる難問がある。例えば、赤い服を着た女性が向こうから走ってきたのを目にしたとする。この場合に、人の形、着ている服の色、動きの情報は、脳の異なる領域で別々に処理されていることがわかっている。しかし、私たちが知覚するのは、「赤い服を着た女性が向こうから走ってきた」という統合された情報だ。この統合が脳の中でどのように行なわれているかを、結合問題と呼ぶ。

クリックは「ニューロン（神経細胞）の『同期による結びつけ』により情報が統合される」との仮説を支持し、四〇ヘルツ振動で同期するニューロン集合体の発火が意識の発生に重要な役割を果たすと提案していた。しかし、その後は疑問も感じていたようだ。

・第一次視覚野の意識　クリックとコッホは一九九五年五月のネイチャー誌で、視覚と意識についての仮説を提案した。人がものを見るときには、脳の第一次視覚野（V1）と呼ばれる領域が最初に情報を処理する。この情報がV2、V3領域と高次の領域に伝えられていく。

クリックらの仮説は「V1で起きる情報処理の結果を人は意識していない」というものだ。つまり、

Ｖ１では無意識の情報処理が行なわれていて、意識の発生には関係がないということになる。この仮説についてては反論もあり、「まったくの誤りであることがそのうち判明するに違いない」という科学者もいた。

・夢の役割　クリックは一九九六年以前にも来日している。そのときの話は睡眠中に見る夢の役割についてで、内容はなかなかおもしろかった。簡単に言えば、覚醒時に仕入れた膨大な量の情報の中から、いらないものを捨てて整理するという役割を担っているのが夢だという。

その後のクリックは夢の話をしなかったが、「視覚」を意識研究の突破口にするにあたって、「自意識」や「白昼夢」「睡眠状態」などは脇においておくことにしたというから、睡眠と夢の問題もとりあえず脇においていたのかもしれない。

・前障　クリックが最晩年に注目していたのは大脳皮質の内側にある前障と呼ばれる部位だった。ここが意識にとって非常に重要だと考え、それに関する論文をまさに亡くなる直前まで病院のベッドの中で修正していたという。

コッホとゾンビ

それでは、クリックとコッホは、意識の解明に新しい科学は必要ないという立場なのだろうか。

一九九八年の時点で「それは今の時点でははっきりしない」とコッホは慎重に答えた。「でも、新しい科学が必要だという証拠だって、あるわけじゃない。それに科学者はみんなＮＣＣの存在を認めないわけにはいかない」とコッホは続けた。

この時は、「ＮＣＣ」と言われてもピンとこなかったが、「意識の神経相関（Neural Correlates of Consciousness）」の頭文字をとったもので、クリックとコッホが一九九〇年代に提案した概念だ。その後も意識研究のキーワードのひとつとなってきた。

「任意の意識的な経験を生じるのに十分な最小限の神経活動」といった意味で、いいかえれば、私たちの意識に不可欠な脳の神経細胞の振る舞いということになるだろう。

例えば、赤い色を見たときに、その赤い感じがほかの人の赤い色の感じ方と同じかどうかは確かめることができない（これはあとで述べるクオリアの問題だ）。しかし、赤いと感じるときの脳の神経細胞の振る舞い、すなわちＮＣＣを比べてみることはできる。

「この神経相関について研究すべきだということは、誰だって認める。ロジャー・ペンローズだって認めないわけにはいかないでしょう」

ペンローズは2章で紹介したように、「量子脳理論」の提唱者で、二〇二〇年に「本職」のブラックホール理論でノーベル賞を受賞している。天才肌の理論家だが、このときコッホは彼を反対陣営としてかなり意識しているようだった。

「新しい物理や、新しいコンピュータ科学の法則を見つける前に、まずはこの神経相関を研究しなくちゃいけない」。それがコッホやクリックの考えだった。

NCCは脳の非常に小さな領域かもしれない、と二人は推測していた。なぜなら、脳の活動の非常に多くの部分を私たちは意識していないからだ。

「例えば」と、コッホはテーブルに置かれたガラスのコップを差し出した。「これを取って。ほら、無意識のまま、努力することもなく、手を伸ばして受け取るでしょう」。複雑な行為を無意識でしている、とコッホは言いたいわけだ。

こんなふうに、脳内で多くのことが無意識に行なわれている。だからこそ、意識はニューロンのほんの一部によってもたらされると彼らは考えた。

目の動きも、肝臓や脾臓の働きも、無意識のうちに実行されている。「それなのに、なぜ意識的な活動があるのか。意識的な行為と無意識の行為はどう違うのか」。それが、問いかけることのできる問題だ、とコッホは指摘した。

そしてこのような研究は、サルを使った実験や人間の脳を画像化してみる実験、サイコフィジックス（心理物理学）、脳機能に障害のある患者らを使って研究できるとコッホは主張した。

では、意識に上らない脳の活動はどうなっているのか。「私とクリックは、そのような活動をオンラインのゾンビ・システムと呼んでいる」とコッホは話した。ゾンビは哲学者がよく使う用語で、振る舞いを見る限りあなたと同じ人間に見えるが、意識のない、機械仕掛けの人間もどきのことだ。オンライン・ゾンビ・システムはここから派生した言葉で、見るという行為と並行して作動する、意識に上らない脳の活動を示している。

「昨日の講演で僕が話した女性患者の話を覚えてる?」と、この時コッホはたずねた。

女性患者は一酸化炭素中毒で脳に障害を負った結果、色を識別することはできるが、形が識別できない。封筒を見せても長方形がどちら向きか答えられない。ところが、封筒を手渡して投函してもらうと、ある角度を持ったポストの投函口に封筒を入れることができるのだ。

つまり、意識に上らないところである種の認知機構が働いていることになる。これもオンラインのゾンビ・システムだとコッホは指摘した。

普通は、無意識の認知であるオンライン・ゾンビ・システムと意識とが、いっしょに作動しているが、コッホが話した患者の場合は意識的な認知が脱落し、オンライン・ゾンビ・システムがあぶりだされたということになるだろう。

コラム
サブリミナル・カット

意識に上らない注意は、カクテル・パーティー効果のように「聞く」場合に働くだけでなく、「見る」場合にも働いている。見るともなく見ている場合でも、そこに自分の名前が書かれていれば必ずわかるのはそのためだ。

無意識的な注意の研究には、「ポップアウト（飛び出し）」と呼ばれる現象を対象としたものもある。例えば、『DNAに魂はあるか』にはランダム・ドット・ステレオグラムを発見したことで知られるベラ・ユレシュの次のような実験が紹介されている。

英語のL字型がいろいろな向きに散らばっている模様の一部に、小さな■（黒四角）模様が入っていると、一瞥しただけで違いがわかる。つまり違う模様がポップアウトする。ところが、■模様のかわりにT字型の模様が入っていると、一瞥しただけでは違いがわからない。よく注意を払って精査して初めて違いがわかる。つまり、前注意過程では見分けがつかず、注意を絞り込んで初めてわかるということになる。

無意識的な注意を示すといわれる現象にサブリミナル・カットの実験がある。この現象を有名にしたのは映画の中に意識できないほど短い時間だけ「コークを飲もう」などのメッセージを映した結果、コークの売り上げが上がったという実験だ。この実験は後にでっちあげだったと批判されることになったが、無意識的な知覚が存在すること自体については、さまざまな証拠があげられている。

「問題は、なぜ我々は本当のゾンビではなくて、意識的なのかだ」とコッホは続けた。意識的な脳の活動と、無意識的な活動はどう違うのか。神経の発火の仕方が違うのか、場所が違うのか、見かけが違うのか。

「これが我々が答えたい疑問であり、やがて答えを得るはずの疑問だ。その答えによって、意識についての何もかもが説明できるかどうかはわからないけどね」

二〇世紀初頭には意識の問題同様に未解明だった生命の謎について言えば、生命を構成する分子がわかり、遺伝子の本体であるDNAがわかり、代謝の仕組みが解明された。「生命とは何か」に対する説明は十分なされ、生命の謎はほとんど解けたと考える科学者は少なくない。クリックもその一人で、生命の起源の問題を別にすれば生命について説明できないことは何もないと発言していた。

では、意識の謎についても生命の謎と同じことが言えるのか。意識に関わる細胞や意識が発生する仕組みがわかれば、意識の謎は解明されたと考えていいのだろうか。

「それはオープン・クエスチョンだ」

二〇世紀の終わりにコッホはこう答えた。

それから四半世紀を経て、コッホはどう考えているのか。

実は、その後のコッホは、私から見るとちょっと意外な方向へ考えを進めている。だが、その話はもう少し後に語ることにして、ここでは、もう一人、意識研究者に転向した正統派科学者、ジェラルド・エーデルマンを紹介することにしたい。

エーデルマン（一九二九〜二〇一四）――免疫の仕組みをあてはめよう

「ドクター・エーデルマンからお送りするように言われた論文です」。そんなメモが入ったフェデックス（国際宅配便）が届いたのは、一九九八年の年の瀬も押し迫った一二月の半ば過ぎだった。私がジェラルド・エーデルマンに質問状を送ったのは夏のことで、ほとんど返事をあきらめかけていたころだった。

残念ながら、「なぜ博士が意識研究に転向したか」という私の質問に対する答えはなく、直近のエーデルマンの論文が二本入っているだけだった。一本が当時の認知科学の大きなテーマである「両眼視野闘争」について、もう一本が「意識と複雑性」と題したレビューである。

エーデルマンは米国の分子生物学者兼免疫学者で、抗体の化学構造の解明によって一九七二年にノーベル生理学・医学賞を受賞した。

その後、意識の研究に転向し、自ら「神経ダーウィニズム」と名づけた理論に基づいて、「知覚マシン」作りに専念してきた。この知覚マシンは、初代の「ダーウィン」から「ダーウィン2」「ダーウィン3」と世代を重ねてきていた。

コッホの著書『意識をめぐる冒険』によると、クリックとともに意識の研究を始めた一九八〇年代の後半、意識について論文を書くことは、まともな頭脳を持った研究者のやることではないと見なされていた。

だが、その後、多くの科学者や哲学者がこの分野に参入したことによって、意識研究は科学のひとつの分野として確立したという。

それに一役買った科学者の一人としてコッホがあげたのが、免疫学者エーデルマンだった。

ジェラルド・エーデルマン

当時、エーデルマンはサンディエゴにある神経科学研究所で研究していた。ソーク研究所のクリックのお隣さんだ。

ノーベル賞学者としてのエーデルマンの業績は、体を異物から守る抗体の構造を明らかにしたことだ。彼はまず、抗体が重いH鎖と軽いL鎖の二種類の鎖からできていることを示し、H鎖のアミノ酸配列を決定した。さらに抗体の特異性がアミノ酸配列の違いによること、抗体の構造に変化する可変部と不変部があることなども次々と発見した。

この一連の仕事は、まさに現在の免疫学の基本中の基本を明らかにした快挙といえる。感染症やワクチン作りを考える上で欠かせない内容だ。このところの新型コロナウイルス感染症の対策だって、この業績があればこそだ。

そしてエーデルマンは、意識を研究するにあたって、慣れ親しんだ免疫の仕組みを脳にもあてはめようと考えた。変化する外界に対応して働くために、脳もまた、免疫系のようにある種の自然選択を利用している、というのが彼の考えだ。

免疫系と神経系を対比して考える気持ちは、とてもよく理解できる。両者には実に多くの共通点があるからだ。

これについては6章で詳しく述べるが、素人の私でも、エーデルマンの理論を知る前に、免疫系の仕組みを脳にあてはめるとどうなるかな、と考えてみたことがあるくらいだ。

例えば、どちらにも予測のつかない外界の変化に適応してシステムを作りかえる「可塑性」がある。いいかえれば、遺伝子に一元的に規定されていない。パターン認知ができるのも共通している（脳は多様な情報から必要なものを取り出すことができ、免疫系は多様な異物が持つ共通の分子パターンを認識できる）。さらにエーデルマンは記憶と再認という、脳と免疫の共通点を強調している。

免疫系と脳のアナロジーに基づいて、エーデルマンは神経細胞群選択説（ＴＮＧＳ）を提案した。

これが神経ダーウィニズムと呼ばれる理論だ。この仮説を簡単に言うのはむずかしいが、発生選択、経験選択、再入力という三つの原理を想定して、脳の機能を説明しようとするものだ。意識を説明するのもこの三つの原理で十分だという（この辺はエーデルマンの『脳から心へ　心の進化の生物学』に詳しく書かれている）。

自説を証明するために、「ダーウィン」を作ったエーデルマンだが、その仮説がどのように評価されているのか、もうひとつはっきりしない。

機能主義的な哲学者デネットはエーデルマンの試みを「示唆に富んだ有益な失敗」と評したが、これに対しベルギー人ノーベル賞科学者、クリスチャン・ド・デューブは「その論には賛成しかねる」と反論している。

一方、ニューヨークタイムズの書評（一九九二年四月一九日）によれば、問題は「エーデルマン本人以外にその説が理解できない」という点にあるらしい。うーん、なかなか厳しい指摘ではある。

この書評には、エーデルマンの本を読んだギュンター・ステントが一九八八年に述べた「私は分子生物学の教授で、米国科学アカデミーの神経生物学のチェアマンでもある。だから、この理論を理解できるはずだ。でも、理解できない」という言葉が紹介されている。クリックもまた、エーデルマンの独得の理論を「神経エーデルマニズム」と揶揄している。

そんな言葉を聞いて、エーデルマンはまともに取り合われていないのかと思ったが、あにはからんや、そうではなかったようだ。コッホも下條さんも「エーデルマンは、意識研究についてはクリックと同じ側にいる」と分類している（最近注目の「意識の統合情報理論」はエーデルマンの弟子であるジュリオ・トノーニが提唱したものだし、４章で紹介する英国の神経科学者で意識研究者のアニル・セスもエーデルマンに大きな影響を受けたという）。

どちらかといえばクリックは神経科学のコミュニティーと密接に交流し、エーデルマンは自分の研究室にこもりがちという違いはあるにしても、「考え方はクリックと似ている」とコッホは言った。共通点をひと言で言えば、二人とも二〇世紀科学の延長線上で意識を実験的に研究しようとしていた、ということになるだろう。

そう言われてみれば、エーデルマンから郵送されてきた「両眼視野闘争」の論文にも二人の共通点が見て取れた。内容を少し紹介しておこう。

人間は二つの目を持つが、見える風景はひとつだ。では、左右の目にそれぞれ異なる図形を見せられるとどうなるか。数秒ごとに図形が入れ替わって見えるというのが正解だ。両眼から入力された情報が脳内で抑制しあい、「闘っている」と考えられることから、「両眼視野闘争」と呼ばれる。

エーデルマンはジュリオ・トノーニらと共同で、この数秒ごとの闘いでどちらの目が優位に立つかを左右するＮＣＣについて調べた。七人の被験者の右目と左目にそれぞれ異なる周波数でチカチカま

コラム
知覚的現在

意識をめぐる実験の中でも、ある時、周囲の研究者らをあっと言わせたのは、カリフォルニア大学の大脳生理学者ベンジャミン・リベットが一九八〇年代に実施した実験である。

リベットは脳疾患に悩む患者の脳に、本人の了解を得て電極を刺し、脳の働きと意識の関係について調べた。被験者に意識的に指を曲げてもらい、「指を動かそう」という意志が働いた時刻と、指を動かすために実際に脳波に変化が現われた時刻を測定した。

常識で考えれば、「指を動かそう」という意志が働いて、そのあとに手を動かすことに伴う脳波（運動準備電位）が現われるはずだ。

ところが、リベットのデータが示したのは逆だった。「指を動かそう」という意志が働いたと本人が自覚したのは、運動準備電位が現われてから三五〇ミリ秒から四〇〇ミリ秒後だったのだ。つまり、指を動かそうとする意志に先立って、無意識的に脳が運動の準備をしていることになる。

意識は「手を動かそう」とした時点を「現在」と認識している。ところが脳はそれ以前から活動している。ということは「今、手を動かそうとしたこの瞬間が現在である」という意識は、無意識的な過程で計算された結果だということになる。

本当だとすれば、私たちがなんの疑問も抱かずに知覚している（と思っている）「現在」が、実は我々の意識が与り知らないところで脳が巧妙に計算した結果にほかならない、ということになる。

この実験は人間に「自由意志」はあるのか、という論争も巻き起こし、その後も関連の実験が行なわれている。

たたく色の違う光を見せ、両眼視野闘争を体験してもらいながら、そのときに脳で何が起きているかを脳の磁場を測定して確かめた。

その結果、脳の広範囲にわたって二つの周波数に対する反応が検出されたが、反応の強度はその周波数を意識しているときのほうが高かった。しかも、意識に対応して活動が高くなる脳の部位は広範囲にわたり、視覚領域以外にも及んだ。このことから、エーデルマンらは遠く離れた神経が協調して活動することが意識的な気づきと関係していると結論づけた。

この実験からただちに脳と意識の関係がわかるわけではないが、意識解明へのアプローチの仕方は確かにクリックやコッホと同じだといえるだろう。

そして、二人はどちらも、脳の限られた部位の神経活動が意識を引き起こすという考えに肩入れしている。

では、エーデルマンと同じ免疫学者である利根川博士はどう考えてきたのだろうか。

利根川進博士（一九三九〜　）――遺伝子で謎を解く

利根川さんをクリックやエーデルマンと同列に分類するのは本来、行きすぎかもしれない。しかし、ノーベル賞を受賞した一九八七年以降に脳の研究に転向した、という点では共通項がありそうに思える。

いったい、なぜ免疫学から脳科学に方向転換したのか。二〇〇三年の講演会で質問された利根川さんは、「相手によって答えを変えている」と答えている（二〇〇三年七月一一日付毎日新聞大阪版）。相手が免疫学者なら「私より他の学者のほうが免疫学の発展に貢献できるから」と答え、それ以外の科学者なら「免疫には飽きた。脳を通して人間がどういうものか研究したい」と答えるのだという。なんとも人を食ったような話だが、おそらく、後者のほうが本当の気持ちに近いのではないかと感じる。また、脳と免疫系に似た点があることもひとつのきっかけだったのではないだろうか。

利根川さんと立花隆さんの対談を収録した『精神と物質』（一九九〇年）は、実際には精神の話にはほとんど触れていないが、最後のほうでエーデルマンと同様、脳神経系と免疫系の類似性を強調している。

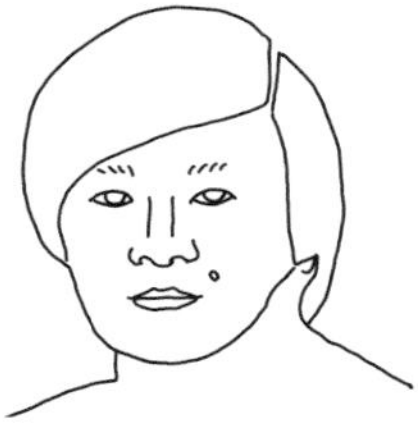

ただし、利根川さんの場合は分子生物学的な手法をマウスに用いた学習と記憶の研究が中心で、意識や心の問題に真正面から取り組んでいるわけではない。意識の問題につっこんでいくというよりは、脳の働きを分子レベルで解明するという方向に向かってきた。

一九九〇年代後半に彼が取り組んでいたのは、特定の遺伝子を壊して働

利根川進

かないようにしたノックアウトマウスを作り、学習と記憶に及ぼす影響を調べるという研究だ。発生工学の手法を使い、正統派科学の路線を突き進んでいた。

脳の機能を分子生物学的手法で調べる純粋な基礎研究といっていい。

しかし、だからといって、心や意識の問題に興味がないとは限らない。前述した「物質・生命・精神」シンポジウムでは、「脳をどんなに研究しても心についてはわからないと多くの人が言うが、解明できないという証拠はない」と語っていた。

しかも、本当にやりたいのはクリックのような研究で、中でも人間に特有の言語に興味があると言っていた。

一方で彼は人間機械論者のようだ。『精神と物質』の中で「要するに、生物は複雑な機械にすぎないと思いますね」とも言っている。

「生物は非常に複雑な機械にすぎない」という機械論的生命観を表明し、精神現象を含めた生命現象もいずれ物質レベルで解明できると信じているようだった。さらに、「個々の人間の性格や知能、これを基盤にした行動の大きなわくはその人が持って生まれた遺伝子群でかなり決まっているのではないでしょうか[*2]」と決定論的な見方も示している。

その後の利根川博士

二一世紀に入っても、利根川さんの脳研究の意欲は衰えていない。

二〇一二年には、マウスが電気的なショックを受けたときの記憶を脳内の細胞に光を当てて人工的に思い出させることに成功し、英ネイチャー誌に論文掲載されている。

二〇一三年には、「誤った記憶」ができる過程をマウスで再現、二〇一四年には「光刺激で記憶を置き換える実験」が米サイエンス誌の一〇大ニュースに選ばれている。

二〇一六年には、思い出せなくなった記憶を光刺激で呼び起こす実験をアルツハイマー病のモデルマウスで行ない、ネイチャー誌に公表した。

古巣のＭＩＴだけでなく、日本の理化学研究所にも研究拠点を持ち、二〇〇九年から二〇一七年には理研の脳科学総合研究センター（ＢＳＩ）のセンター長も勤めた。

前にも述べたように、最近も「記憶痕跡　過去を思い出し未来を想像する」「海馬の神経細胞は伝達可能な経験の単位として出来事を表わす」といった論文の共著者になっている。

ただし、「意識」や「心」を具体的な研究対象としているわけではなさそうだ。

コッホの「ロマンチック還元主義」

ここまで、「従来の科学で意識を解明しよう」派について見てきたが、四半世紀を経て、コッホがどう考えているかに話を戻したい。

意識研究のパートナーだったクリックは残念ながら二〇〇四年にこの世を去った。コッホは二〇一一年にカルテクからシアトルの「アレン脳科学研究所」に移って所長となっている。マイクロソフト社の共同創業者ポール・アレンが一億ドルを投じて二〇〇三年に設立した非営利の研究所で、脳の切片画像や遺伝子発現、神経細胞のつながり方などを「脳地図」として公開していることで知られている。

ホームページを見ると、さまざまな角度から脳科学にアプローチしていることがわかる。意識研究を特にクローズアップしているわけではないが、コッホ自身のこの間の著作やインタビューなどを見ると、意識の解明に変わらず取り組んでいることがわかる。

例えば、二〇〇四年には『意識の探求―神経科学からのアプローチ』を、二〇一二年には『意識をめぐる冒険』を出版している。二〇一九年には「The Feeling of Life Itself: Why Consciousness is Widespread but Can't Be Computed（生命そのものの感覚——なぜ意識は広く存在するのに計算できないのか)」を出版し、意識論争にさらなる一石を投じている。

ここではまず、『意識をめぐる冒険』からコッホの「その後」を読みとってみたい。

英文の原題は「Consciousness; Confessions of a Romantic Reductionist(意識——ロマン主義の還元主義者の告白)」で、コッホはこの中で自らを「ゴリゴリの還元主義の科学者[*3]」と認めている。

その意味するところは、意識という現象が究極的には、神経細胞の活動とシナプスを介した神経細胞のつながりから、定量的に説明されるべきだと考える、ということだというから、基本的なスタンスは以前と変わっていない。

無意識の「ゾンビ・システム」についても引き続き触れているし、非物質的な魂の存在について否定的であることも変わりはなさそうだ。NCCを追求してきた実験的成果も詳しく述べている。

しかし、考えが変わった点もある。

その最たるものは、「NCCを追求するだけでは事足りない」と認めていることだ。

「仮に意識を生み出す神経回路がみつかったとしても、根本的な問題への答えにはならない[*3]」という主旨のことまで言っている。

その「根本的な問題」とは、一九九〇年代初めに神経内科医のフォルカー・ヘンがコッホに投げかけたという次のような疑問に象徴されている。

NCCの正体がわかり、その特徴がわかったとして、なぜ、その条件を満たすニューロンは意識を生み出すのか。条件を満たさない他のニューロンはなぜ、意識を生み出すのに関係がないのか。これがわからなければ、コッホとクリックの仮説は、「脳の松果体が魂の座で、意識を生み出す」といったデカルトの提案と本質的に変わらないのではないか。

コッホは当時からその問題に気づいていなかったわけではない。だが、その疑問は脇において、まずはNCCを見つけるための実験的研究を着実に進めようと考えていたという。

だが、それから二〇年を経て、実験的研究は進み、その問いを無視できなくなったようだ。いいかえれば、意識の理論が必要になったということだろう。

では、どういう理論が必要なのか。

ひとつの考え方に「創発現象」がある。水分子は濡れていないのに、分子が集まって水になると濡れるという性質が現れるように、あるシステムが全体として機能する時に、その構成要素にはない性質が立ち現れる現象のことだ。

コラム

さまざまな還元主義

還元主義について考えているうちに、どうやら同じ還元主義でも人によって解釈の仕方が異なるようだということがわかってきた。

近年、槍玉にあげられるようになった還元主義は、全体を構成要素に分けていくことによって対象とするシステムを知ろうとする手法だ。これに批判的な人々は「全体は部分の総和ではない」「創発現象を無視している」と指摘する。

一方、還元主義は要素同士の相互作用まで含めた考えだと主張する人々もいる。例えばクリックは、脳を神経へと還元することで意識が解けると主張していたが、この場合には、神経細胞同士の相互作用も前提としている。さらに、この相互作用から生まれる創発現象まで含めて、構成要素とその相互作用で説明できると考えていたようだ。

クリックは『DNAに魂はあるか』の中でベンゼン分子の例をあげている。ベンゼン分子の性質はベンゼンを構成する水素原子と炭素原子のたんなる総和ではないが、これらの原子の相互作用で説明できる。意識だって同じというわけだ。

創発現象まで含めて還元主義と考えるかどうかによって、還元主義の評価は変わるはずだし、創発現象をどう捉えるかによっても異なると私には思える。さらに「何をもって解けたと考えるか」の違いもある気がする。つまり、「意識の働き方」がわかれば意識の謎が解けたと考えるか、それだけでは不十分と考えるかだ。

水分子の性質が原子の相互作用で説明できても、「水分子が集まると、コップが濡れるのはなぜか」には答えられないと考えるなら、意識の謎も還元主義では解けないということになる。

コッホも以前は、「意識は複雑な神経ネットワークから創発的に生まれてくる」という考えを支持していた。ところがその考えには納得できなくなったようだ。

一方で、純粋な還元主義の立場で、脳活動を神経細胞のレベル、分子のレベル、というように還元していっても、意識が突然出てくるとも思えないという。

そこでコッホが「最も納得のいく考え」として持ち出したのが、ある種の「汎心論(panpsychism)」と呼ばれる考え方だ。

万物に意識が宿る？

えっ？　ちょっと待って。「汎心論」といえば、万物に心が宿る、という考え方では？　それって、正統派科学者の考えとは相いれないのでは？

もしかして、ゴリゴリの還元主義者コッホも、こちら側からあちら側へ宗旨替えをしたのだろうか。

そんな疑問はとりあえず脇において、コッホの考えをたどってみる。

コッホの言を借りれば、「汎心論」では、非常に単純なシステムにも非常に低レベルの意識が宿ると考える。単純なシステムが集まってできるのが人間が持つような高度な意識だという。

その考えに従うと、意識は、何らかの構造を持つシステムがもともと持っている特性で、システムの構成要素を調べても、意識が説明されるわけではない、となる。

相互作用する部分から成り立つシステムであれば、単純であってもある程度の意識を持つ。システムが大きくなるほど、高度にネットワーク化されればされるほど、意識の程度は大きく、より洗練されたものになる、とコッホは語っている。

さらに、「生命」が意識に必要かということにも疑問を抱いている。

これはまさに、生命体ではない機械も意識を持つ、と考える「機能主義」の考え方にも通じる話ではないのだろうか。

ここでもうひとつ、コッホが持ち出すのが「情報理論」だ。晩年のクリックは、意識の理論として「情報理論」に見込みがあるのではないかと考えていたし、コッホ自身も注目していた。

そこで二人が出合ったのが、ジュリオ・トノーニの「統合情報理論」だったという。

それはいったい、どういうものなのだろうか。

トノーニの「統合情報理論」

トノーニは今は米ウィスコンシン大学の教授だが、その前はエーデルマンのもとで研究していた。

つまり、免疫学から意識研究に転向したエーデルマンの弟子筋にあたるということになるだろう。コッホの著書『意識をめぐる冒険』には、ある時、トノーニとエーデルマン、コッホとクリックの四人で会食した話が出てくる。当時「若手」だったコッホとトノーニは、ここで意気投合し、その後も仲間として研究を進めてきたようだ。

イタリア生まれのトノーニは、精神科医でもあり、睡眠関連の研究で神経科学の博士号を取っている。

ウィスコンシン大のホームページによると、統合情報理論（IIT）は、「意識とは何か、何がその量と質を決定するのか、意識が神経ネットワークのような因果構造からどのように出現するのかを包括的に説明する理論[*4]」だ。

この理論を裏づけるための実験にも取り組んでいる。

コッホによれば、その肝は、「意識の情報量は膨大である」ということと、「意識の内容は高度に統合されている」ということだ（『意識をめぐる冒険』の訳者である意識研究者、土谷尚嗣さんによると、この二つさえあればいいというわけではない）。

トノーニ自身も、研究仲間のマッスィミーニと二人で書いた『意識はいつ生まれるのか』の中で、「意識の経験は、豊富な情報量に支えられている」ことと、「意識の経験は、統合されたものである」の二つを、「意識の公理」、すなわち意識に共通の基本的な特徴としている。[*5]

「豊富な情報量」と「統合」のどちらが欠けても意識は生まれない。コッホによると、パソコンのハードディスクの容量は人の記憶力をしのぐが、統合されていない。だからたとえパソコンに意識があったとしても、とても単純なもののはずだという。

コッホによると、トノーニはこの二つの原理をもとに、あるシステムの「意識レベル」は、「システム全体が生み出す情報量」から「部分が生み出す情報量の総和」を引き算したものである、という理論を提案した。

さらに、「意識レベル」を定量的に表わすφ（ファイ）という尺度を定義している。

正直言って、私は「あー、なるほどね」というほど理解できていないが、φは定量的に計算できる値で、想像上の尺度ではない。ただし、それを算出するのは非常に難しいとコッホは認めている。

さらに、生物であろうと、電子回路であろうと、多様な情報を統合できるようなシステムには何らかの意識がある、というのがこの理論の示すところだと思われる。

いいかえれば、「意識は宇宙のそこらじゅうにある」、というわけで、これが「汎心論」の考えに通じているのだろう。ただし、意識のレベルは非常に小さいものから、人間のように高いレベルのものまで、さまざまだという。

うーん、こういわれると、科学から逸脱するように思えるが、そういうわけでもなさそうだ。

統合情報理論を有力な理論と考え、それを実験的に実証することをめざしている。

この理論を元に、意識の状態を計測する「意識メーター」を作ることもできるという。実際、植物状態にある人や、麻酔下にある人などの意識状態も評価している。[*6] 脳損傷により体をまったく動かせない「閉じ込め症候群」の人が実際には健常人と同じ意識を持つことを確かめたり、植物状態と見なされた人が本当は意識があるのかどうかを区別したりすることもできるという。[*7]

こうしてコッホの考えの変遷をたどってくると、彼は「コンピュータも意識を持つ」派に鞍替えしたのかと思えてくる。

しかし、これもまた、私の早とちりのようだ。

なぜなら、二〇一九年のコッホの著書の副題は「なぜ意識は広く存在するのに計算できないのか」だからだ。


結局のところ、コッホは今、どう考えているのか。ここはやはり、本人に直接聞いてみるしかないと思い、メールで質問をいくつか投げかけた。すると「文章では簡単に答えられない」とオンラインでのインタビューを提案された。

そこで二五年ぶりのインタビューとなったのだが、コッホはなんと答えたか。

その中身は、この後の話とも関係するので、少し後に譲ることにして、次の章では意識研究の大きなテーマのひとつ、「コンピューターやＡＩも意識を持つか」をめぐる正統派科学者や哲学者の論争を過去にさかのぼってみてみることにする。

引用・参考文献

＊1――フランシス・クリック『ＤＮＡに魂はあるか　驚異の仮説』中原英臣・佐川峻訳　講談社　一九九五年
＊2――立花隆・利根川進『精神と物質　分子生物学はどこまで生命の謎を解けるか』文藝春秋　一九九〇年
＊3――クリストフ・コッホ『意識をめぐる冒険』土谷尚嗣・小畑史哉訳　岩波書店　二〇一四年
＊4――ウィスコンシン大学　https://www.psychiatry.wisc.edu/staff/tononi-giulio/
＊5――マルチェッロ・マッスィミーニ＋ジュリオ・トノーニ『意識はいつ生まれるのか　脳の謎に挑む統合情報理論』花本知子訳　亜紀書房　二〇一五年
＊6――Ｃ・コッホ「機械は意識を持ちうるか」日経サイエンス　二〇二〇年三月号
＊7――A Theoretically Based Index of Consciousness Independent of Sensory Processing and Behavior https://www.science.org/doi/10.1126/scitranslmed.3006294

4章　「ＡＩは意識を持つか」論争

二一世紀に入って飛躍的な発展を遂げた科学の分野はなにか。いろいろあるかもしれないが、ＡＩ（人工知能）がそのひとつであることに異論はないだろう。

ＡＩの歴史は一九五〇年代にさかのぼる。コンピュータの原理であるチューリング・マシンを英国の数学者、アラン・チューリングが提案したのは一九三〇年代。一九五六年には英国のダートマスで開かれた会議で「人工知能（ＡＩ）」という言葉が提案された。

一九六〇年代には「第一次ＡＩブーム」が訪れ、ゲームや機械翻訳への応用が模索された。その後「冬の時代」でいったん落ち込んだが、一九七〇年代後半〜九〇年代初めに、専門家が持つ知識を取り入れたエキスパートシステムを引き金に「第二次ＡＩブーム」が到来する。一九九七年には「ディープ・ブルー（Deep Blue）」がチェスの世界チャンピオンであるカスパロフ氏に勝つという事件があり、やられた！　という気分になったものだ。

その後、再び「冬の時代」をへて、二〇一〇年ごろから今に至るまで続いているのが「第三次ＡＩブーム」である。


第三次ＡＩブームを特徴づけるのは機械学習やディープラーニング、ニューラルネットワーク、ビッグデータ、パターン認識などのキーワードだ。

ちなみに、「機械学習」は、コンピュータが世の中に存在する大量のビッグデータから知識やルールなどを自ら学習する技術。「ディープラーニング（深層学習）」は機械学習の一種で、人間の脳の学習をモデル化したニューラルネットワークを利用する。

第二次ブームまでのＡＩでは何を学習するかを人間が定義する必要があったが、ディープラーニングを利用したＡＩは、対象とするものの特徴をビッグデータから自分で学習することができる。例えば、ネコの特徴を教えておかなくても、ネコの写真を大量に見せるだけで、その特徴を自ら学んで見分けることができるようになる、といった具合だ。

さらに第三次ブームの中でチャットＧＰＴをはじめとする生成ＡＩが生み出され、世界を大きく変える可能性が出てきた。

このようにＡＩの技術が大きく進歩してきたことを思えば、「コンピュータやＡＩは意識を持つか」という問いもまた、第三次ＡＩブームを背景に変わってきているはずだ。

それを考えるにあたり、まずは二〇世紀における「機械は意識を持つか」論争に立ち返って概観してみることにしたい。

ＨＡＬの誕生日

一九九七年一月一二日は特別な日だった。といっても、ごく一部の人々にとってではあるが。なぜなら、あのエポック・メイキングなＳＦ『２００１年宇宙の旅』に登場するコンピュータ「ＨＡＬ９０００」の誕生日だったからだ（一九九七年という設定はＳＦの巨匠アーサー・Ｃ・クラークの小説版のほう。スタンリー・キューブリック監督の映画では一九九二年という設定だった）。

この年、ＨＡＬの誕生を祝うパーティーが少なくとも米国の二ヵ所で開かれた。一ヵ所は東海岸のマサチューセッツ工科大学（ＭＩＴ）、もう一ヵ所はまさに、小説の中でＨＡＬが生まれたとされているイリノイ州アーバナのイリノイ大学アーバナ・シャンペーン校である。

米国ではこの日を記念して『ＨＡＬ伝説　二〇〇一年コンピュータの夢と現実』という本が出版されたほどだ。

——などと言っても、若い読者のみなさんは「なんのこと?」と首をかしげるかもしれない。この物語では、二〇〇一年、宇宙飛行士を乗せた宇宙船ディスカバリー号が人類の知性の起源を訪ねて木星への旅に出発する。木星には謎の石柱「モノリス」の正体に迫る鍵が……という話は原作を参照していただきたいが、この宇宙船に搭載されたコンピュータの名前がＨＡＬだ。

ＨＡＬは思考を持ち、あることをきっかけに乗組員の宇宙飛行士を殺害しようとする。その企てを阻止しようと、ひとつずつＨＡＬの構成部品を取り外していく船長、抵抗するＨＡＬ——。

たかがサイエンス・フィクションに登場するコンピュータであるにもかかわらず、なぜＨＡＬは人々の関心を捉えて離さないのか。かく言う私も、人工知能やロボットが話題に上ると、数ある例の中から思わずＨＡＬを思い浮かべてしまうことがある。

知能や感情を持つとしか思えない「機械」の例ならいくらでもある。古いところでは鉄腕アトムがいる。もう少し時代が下ると『スター・ウォーズ』に登場するＲ２-Ｄ２やＣ-３ＰＯ、フィリップ・Ｋ・ディックの『アンドロイドは電気羊の夢を見るか?』(映画は『ブレードランナー』)に出てくるレイチェル、清水玲子さん描くところのエレナやジャック(少女漫画です)と数え上げれば枚挙にいとまがない。

彼らの多くは見てくれまでも人間らしいヒューマノイド型のアンドロイドたちだ。しかし、ＨＡＬは違う。見た目では少しも人間らしいところのない、いかにも機械然としたＨＡＬが、恐怖心や感情をあらわにし、最後には反逆を起こす。

そこには、現代の意識研究における大きな問いが秘められているように思える。

「機械は意識を持つか」という問いである。

コンピュータは意識する

前の章でも取り上げたが、意識について考えるときに常にひっかかることがある。いったい意識の問題は、これまでの科学で解けるのだろうか、ということだ。

エックルスやペンローズ、ジョセフソンは、「従来の科学では解けない」派だろう。

一方、クリックやコッホのように「基本的に従来科学で解けるはず」派の科学者もいる。

その中でも最右翼は「コンピュータだって意識を持つ」と主張する人たちである。彼らは、人間の脳の機能を再現することができれば、機械にも意識や心が宿ると考える。つまり、脳が物理的に何でできているかには一切関わりなく、機能だけに注目するのだ。

このような考えの代表選手として知られるのがＭＩＴのコンピュータ科学者だったマービン・ミン

スキー（一九二七〜二〇一六）だ。彼は、ＨＡＬのように意識や感情を持つコンピュータが作れると信じていた（少なくともそう表明していた）。

ミンスキーは一九五六年にクロード・シャノンやジョン・マッカーシーらとともに、人工知能（Artificial Intelligence＝ＡＩ）という新しい分野を創設した人物だ。このため「ＡＩの父」とも呼ばれる。彼らは、前述した一九五六年のダートマス会議の参加者でもある。

マービン・ミンスキー

今でこそＡＩは一般的だが、当時は未知のものだったはずだ。『ＨＡＬ伝説』の中でミンスキーは、「四年から四百年以内にＨＡＬのようなものができるだろう。運がよければ、二〇〇一年までにできるんじゃないかな！」[*1]などと発言している。

幸か不幸か、二〇二三年になってもＨＡＬのようなＡＩは生まれていないが、ミンスキーは「人工知能は当然、意識を持つ」と考えていた。

このような主張を「強いＡＩ」の立場と呼ぶ。脳が何でできているかを問題にせず、その機能だけに注目するので「機能主義」とも呼ばれる。

いいかえれば、人間の脳の神経細胞を、ひとつずつ人工物で置き換えても、その人工物の働きが神経細胞と同じなら、元の人間となんら変わらないという考え方である。中でもミンスキーは徹底した機能主義者だったと言ってもいいだろう。

コラム
意識、心、精神

この本を書いていた時に、ずっと気になっていたことがある。「意識」と「心」（または「精神」）の関係はどうなっているのか、ということである。

本書では主に「意識」に焦点を当てたが、登場する科学者の中には、「意識」の問題というよりは、「精神」や「心」の問題に興味があったと思われる人がいる。エックルスのように「自我」という言葉を使う人もいる。

直感的に言えば、「意識」は「心」よりも広い範囲を含んでいるように思える。例えばカエルにも意識はあるように思えるが、心はどうかは答えにくい。

これは意識の階層にも関係する話で、目覚めているとか、気づいているといった意味での意識なら、カエルにもありそうな気がする。しかし、自意識になると、カエルにあるかどうか確信がない。そう考えると、「心」や「精神」は、「意識」の中でも自意識と関係しているように思える。

一方、「意識」を「心」の働きのひとつと捉えることもできる。その場合には、「心」のほうが広い範囲を含むことになる。言語が違うとニュアンスが異なることもあるだろう（クリックは、誰かを脅かそうと思っているときには「意識＝Consciousness」という言葉を使い、その気のないときには「知覚＝Awareness」を使うと述べていた）。

いずれにしても、「意識」と「心」と「精神」は密接な関係にある。この本では、あまり厳密な区分けをせずに使っているが、ご勘弁願いたい。

ミンスキーの主著として知られる『心の社会』は、なかなかの名著だと思う。心がたくさんのパーツからできているという考え方は、ある種の還元主義ではあるが、古典的でナイーブな還元主義とはちょっと違って、もう一歩進んでいる気がする。

単にたくさんニューロンを寄せ集めるだけで心が生まれると考えているわけではない（と思う）。パーツ同士の複雑な相互作用が、たんなる寄せ集め以上のものを生む、という点では複雑系の創発現象の考え方に近いと言ってもいいかもしれない（複雑系については次の章で述べる）。

だが、あまりにきっぱり、人間もマシンもいっしょだと言われると、頭を抱えてしまう。

確かに、心や意識を持つマシンがいたほうが楽しいだろう。人間よりいいかも、と思うことさえある（もちろん、よくないことも起きそうですが）。

とはいうものの、人間が作成するアンドロイドと、受精卵から生まれてくる人間の赤ん坊が同じように意識を持つと信じられるほど、機械に入れ込むことはちょっとむずかしい。

それとも機能主義者というのは、人間の意識はそれを見る側のイメージに存在すると考える人たちなのだろうか。意識を持っているように見えることと、意識を持っていることが同一であるというように。

個人的には簡単に機能主義にくみする気にはなれないが、ミンスキー陣営には何人も味方がいる。『HAL伝説』の寄稿者はみな、多かれ少なかれ機能主義者だ。

その中でも、豊かな髭をたくわえたタフツ大学の哲学者、ダニエル・デネットは筋金入りである。彼は一九九一年に"Consciousness Explained"（邦訳『解明される意識』）という大胆なタイトルの本を著わし、評判を呼んだ。一九九五年に書いた"Darwin's Dangerous Idea"（邦訳『ダーウィンの危険な思想』）も意識関連の本や論文によく引用される。

私が初めてデネットの考えに触れたのは、『〈意識〉の進化論』という本の中の「意識の進化とコンピュータの進化」と題した論文だった。そして、彼のテーマはまさに、コンピュータと意識の関係に象徴されている。『HAL伝説』では「HALが殺人をおかしたら、だれが責められるのか？」という章で、コンピュータの倫理学について論じている。

デネットは、人間の意識は脳によって動かされている「バーチャル・マシン」であると結論づける。このバーチャル・マシンは、種の進化、神経様式の進化、ミームの進化の三つの進化過程が生み出したという（ミームは、「利己的遺伝子」で知られる英国のリチャード・ドーキンスが発案した文化の伝達因子のことです。遺伝子が複製されて親から子へと伝わるように、ミームも複製されて人から人

コラム

意識の階層

「意識を研究する」とひと言で言っても、人によって研究対象としているものが違っていることが往々にしてある。「意識」を定義しない限りは避けられないことだが、クリックの言うように意識を定義するのが時期尚早だとすれば、無理やり定義するのもはばかられる。

多少なりとも混乱を避けるために、一般的に使われる三つの分類を紹介しておくことにする。

第一に「覚醒している状態」、第二に「外界で起きる事象を意識している状態」、第三に「自分が何をしているか知っている状態」という三つのレベルだ。

「覚醒している状態」とは、いいかえれば目覚めている状態だ。つまり、眠っていたり、気を失っていたり、昏睡したりしている状態は、このレベルで言えば「意識のない状態」ということになる。実はこのレベルでの意識は神経生理学的にかなり解明されている。睡眠と覚醒が脳のどのような状態に対応するかの研究が進んでいるからだ。

次に「外界で起きる事象を意識している状態」だが、これは「気づいている（Aware な）状態」と言いかえることができる。そして、この状態は「注意（Attention）」と深く関係している。第一のレベルで意識があっても、注意を払っていなければ意識に上らないことはたくさんある。外界からの情報を取り込んで認知する（つまり知覚する）ためには、この注意が働いている必要がある。

最後に「自分が何をしているか、何を感じているかを自分でわかっている状態」、すなわち「自己意識」のレベルがある。意識の中でも、科学的研究の対象になりにくい意識といえるだろう。

へと伝わる、というふうに考えます）。

彼は、自然選択を信奉しているために、偶然こそが進化にとって重要な役割を果たしているという立場のスティーヴン・ジェイ・グールド（『パンダの親指』など多数の著書で知られる進化心理学の旗手）や、量子重力理論で意識を説明しようとするロジャー・ペンローズに批判的だ。

デネットは、ＡＩの「人間らしさ」を競う「限定チューリング・テスト」大会を主催していたこともあるらしい（チューリング・テストとは、英国の数学者チューリングが考案した機械に人間と同等の知能があるかどうかを判定するテストのことで、のちほど改めてお話しする）。

哲学者とはいえ、自説を証明するための実験もしている。

デネットの文章を読んでいると、コンピュータを人間と同じように見なしているようで、ちょっと奇妙な気がするくらいだ。コンピュータの振る舞いに、信念とか意欲などといった言葉を使っている。


分厚さがひときわ目立つ一九七九年の話題作『ゲーデル、エッシャー、バッハ』を書いたコンピュータ科学者のダグラス・Ｒ・ホフスタッターもまた、この陣営に属している。ちなみに彼の父親は、一九六一年に「線形加速器による高エネルギー電子散乱の研究と核子の構造に関する発見」でノーベル物理学賞を受賞したロバート・ホフスタッターである。

デネットとホフスタッターは共同で、心とは何かをテーマに科学者や哲学者の論文を集めた『マイ

コラム
ＡＩゴッドファーザーの懸念

二〇二三年五月一日、「ＡＩのゴッドファーザー」と呼ばれるコンピュータ科学者ジェフリー・ヒントンさんがグーグルを退社し、世界に衝撃を与えた。それというのも退社の理由のひとつが、進化するＡＩのリスクについて自由に発言できるように、というものだったからだ。

ヒントンさんは当時七五歳。深層学習やニューラルネットワークのパイオニアとして知られ、カナダのトロント大学で研究するかたわら、一〇年にわたってグーグルでＡＩ開発に携わってきた。

退社を知ったメディアは一斉にヒントンさんにインタビューした。そこから浮かぶのは、ヒントンさんはグーグルに批判的なわけではなく、ＡＩの進歩そのものがもたらす影響を深く懸念するようになったということだ。

どこにリスクがあるのか。

ヒントンさんは何十年も、ニューラルネットワークを使ってデジタルコンピュータを人間の脳に近づけようと考えてきた。

ところが、最近になって、デジタルコンピュータの知性は、生物学的な知性とは違うものではないかと思い至ったようだ。

ヒントンさんが繰り返し語っているのは、今のコンピュータが人間の脳より単純でも、一台のデジタルコンピュータが学んだことが別のコンピュータにそっくりそのままコピーできる、という点だ。一台が新たな知識を得ると、無数のマシンにいとも簡単にその知識がまるごと伝えられる。

私たち人間はそうはいかない、とヒントンさんは言う。自分が新たに学んだことを人に伝えるにはさまざまな手段を使わねばならないし、時間もかかる。すべてを完璧に伝えることもできない。

この特徴によって、デジタルコンピュータの知性は、想像以上に早く人間の知性を超えてしまう可能性があるという。

私がえぇ！　と思ったのは、ヒントンさんが米国マサチューセッツ工科大学（ＭＩＴ）の機関誌「ＭＩＴテクノロジーレヴュー」のイベントでのインタビューで語っている次のような言葉だ。

「人類は知性の進化における通過点にすぎないということも十分考えられる[*2]」

生物の知性は機械の知性を生み出し、機械の知性は人間が生み出したものをすべて吸収し、独自の路線を行く？　しかも、ヒントンさんは機械が主観的な経験を持ち得ることも否定していない。なんと、ヒントンさんも「デネット陣営」の一人になるのだろうか。

最前線でＡＩ開発を推進してきた専門家の警告だけに、影響力は大きそうだ。

ンズ・アイ』という本を一九八二年に編集している。その中で二人は、それぞれの論文について、まさしく機能主義者の観点から論評を加えている。さまざまな主張を持つ論文の著者との意見の食い違いはなかなかおもしろい。

哲学者と意識

ノーベル賞には哲学部門はないので、これまでの章には登場しなかったが、意識や心、精神の問題といえば、デネットのような哲学者の十八番と相場は決まっている。意識研究について語るなら、哲学者の考えについても触れないわけにはいかない。

白状すると、日本の科学記者は哲学に弱い（もちろん、そうでない人もいるとは思う）。いや、科学記者だけではないだろう。日本の科学者も哲学には弱いのではないかと思う。

それもそのはずで、日本の大学で科学哲学の専門講座を持っているところは東京大学など一部に限られ、それも自然科学を学ぶ人の必修にはなっていない。

私自身、理科系の学部を出たにもかかわらず、学生のときに科学哲学の講義を受けた覚えはない。研究者になった同級生たちとて同じである。つまり、ほとんどの科学者は、科学の哲学的な背景など知らずに科学者になるのだ。

だから、哲学と聞くと、科学とは相いれないもののように思ってしまうが、振り返ってみれば昔は哲学と科学に境界はなかった。そして再び、その境界は薄れつつあるとみることもできる。1章で紹介したノーベル賞学者たちが、みな多少なりとも哲学に足を踏み入れていたことは確かで、互いに歩み寄りを見せているのかもしれない。

最近のＡＩやメタバース、アバターの進化も、科学と哲学の距離を縮めているのではないだろうか。

サールの中国語の部屋

カリフォルニア大学バークレー校に所属していた哲学者ジョン・サールは、デネットら機能主義者の「敵陣営」の一人だ。意識研究に詳しい人の間でサールといえば、「中国語の部屋（Chinese Room）」ということになっているようだ。

これは次のような議論に答えるための思考実験である。

中国語で話しかけられたときに、中国人だとしか思えないほど巧みに答えるコンピュータができたら、このコンピュータは中国語を理解していると言っていいか。

サールの答えは次のようになる。

> 中国語がひと言もわからない人が一人、部屋に閉じ込められていて、部屋には中国語の記号を操作するための規則が書かれた本がある。この規則に従って、質問者が送り込んでくる中国語の質問に対して、記号を操作して答えを送り出す。このような場合に、中国語の部屋にいる人間が中国語を理解していると言えるのか。
>
> いいかえれば、表面的には中国人としか思えなくても、実際には中国

ジョン・サール

人ではなく中国語を理解しているわけでもない、ということになる。

この話を聞いて「チューリング・テスト」を思い出す人もいるだろう。仕切りの向こう側にあるコンピュータに質問をして、答えを聞いて人間と区別がつかなかったらパスするというテストのことだ。

いずれにしてもサールが主張しているのは「人工知能は意識を実現できない」ということである。

チューリング・テスト

アラン・チューリングが提案したチューリング・テストは、機能主義を考える上で重要なので、ここで改めて紹介しておくことにしよう。

チューリングと聞いて思い浮かぶのは、現代コンピュータの父という賞賛の言葉と、同性愛によって有罪判決を受けたという現代では考えられない不運なイメージだ。写真を見ると、風変わりで陰のある天才という面持ちをしている。

アラン・チューリング

彼が開発したチューリング・マシンは、今こうして私やあなたが使っているコンピュータの原形にあたる。現代のデジタルコンピュータはすべて、チューリング・マシンの子孫だといわれるくらいだ。○か一かの記号が書き込まれたテープと、記号を読み取ったり書き出したりするヘッドで構成された計算機のモデル、これがチューリング・マシンだ。

チューリング・テストとは、人間がコンピュータに向かって質問をし、それに対する答えによって人間か機械かの区別がつかないとしたら、そのコンピュータはチューリング・テストにパスし、人間のように思考していると認められる、というものだ。

人工知能が第一にめざしてきたのは、チューリング・テストに合格することだと言ってもいいだろう。

そして、チューリング自身もまた、人間の心と同じ働きをするマシンを作ることができると考えていた。いいかえれば、人間と機械にさしたる差はない、と彼は考えていたわけだ。まさにチューリング自身が、生っ粋の機能主義者だったと言えるだろう。

チューリング・テストは機械と思考、機械と精神の関係が取り沙汰されるときには、必ずと言っていいほど話題に上る。

機能主義に鋭い批判を浴びせているペンローズも、ベストセラーとなった著書『皇帝の新しい心』の最初と終わりに、チューリング・テストを彷彿とさせるSF的なお話を登場させている。コンピュータ科学者を母親に持ち、コンピュータに囲まれて育った若者が、母親のチームが開発した思考するコンピュータの盛大なお披露目式で「コンピュータであるって、どんな気持ち?」と質問する、というようなお話だ。

ペンローズの分類

ここで、意識とコンピュータの関係の捉え方について、ペンローズの分類に登場を願おう。

ペンローズは『皇帝の新しい心』に続いて出版した“Shadows of the Mind”（邦訳『心の影』）の中で、コンピュータの計算と意識のひとつの側面である「アウェアネス」（気づいている状態）の関係をどう捉えるかという立場を、次のように四つに分類している（ここではアウェアネスを「意識」と訳出する）。

A　すべての思考は計算である。特に意識の感覚は適切な計算の遂行だけから生まれる。

B　意識は脳の物理活動のひとつである。あらゆる物理活動は計算でシミュレートできるが、シミュレーションから意識が生じることはない。

C　脳の適切な物理活動が意識を生じさせるが、その物理活動は計算でシミュレートできない。

D　意識は物理学や計算や、その他のいかなる科学的な用語によっても説明できない。

このうちAは、脳はコンピュータであり、コンピュータで脳が作れる、という機能主義の立場に相当する。従って、Aの立場が正しければ、意識は従来科学で解けることになる。

Dはある種の神秘主義で、その対極にある。当然、意識は従来科学では解けないという立場だ。ペンローズによれば、不完全性定理のクルト・ゲーデルは間違いなくこのDに近かったはずだという（1章で述べたように、「不完全性定理」は数学の公理の中には「正しいか、誤りか」を決定することのできない数学的命題が必ず存在することを示している）。

BとCはどうだろうか。反機能主義者であるペンローズ自身が、まともに取り上げているのはこのBとCの考え方だ。

まずBのほうだが、意識がコンピュータでシミュレートできるとすれば、従来科学で解けるとも考えられる。解明するということは、必ずしも同じものを作り出さなければならないというわけではないからだ。

次にCの立場だが、これが正しければ、従来科学では意識は解けないということになる。計算不能な物理法則が存在し、それが意識を解く鍵だとしたら、我々はこの先、その計算不能な法則を発見しなければならない。なぜなら、そんな法則は従来科学にはないからだ。

ペンローズ自身の考えはCの立場に最も近い。だからこそ、彼は量子重力理論という従来科学にはない新しい理論に手がかりを求めようとしているのだ。

正統派と人工知能

意識研究のどれが正統派で、どれが異端かは、本当のことを言えばよくわからない。この時点で分類してみたところで、一〇〇年後には完璧にひっくり返っているかもしれない。正統派が正しいとは限らない。

だが、とりあえずこれまでのところは、クリックのように「自己意識や自由意志は無数の神経細胞の集まりと、それに関連する分子の働き以上のものではない」という考えが正統派だと見なされてきた。そして正統派は、意識が従来科学で解ける、と考えているようだ。

クリックは自著に『驚異の仮説』（邦訳は『DNAに魂はあるか』）というタイトルをつけているが、彼の仮説はさほど驚くようなものではない。クリックが正統派だと考えれば、あまり驚くような話があってはおかしいとも言えるだろう。

前にも述べたが、クリックは「還元主義者」を自認していた。しかも、彼の主張はミンスキーのような機能主義にかなり近い。脳のような機能を持つ機械が実現できれば、その機械が意識を持つ可能性はある、と述べていた（ただし、本格的な意識を持つ機械を作るためには、「何が人間に意識を持たせるか」を解明しなくてはだめだとも言っている）。

そのくせ、部品、すなわち神経細胞の働きにはこだわる。いいかえれば「脳はコンピュータである」

という考えにはくみしないということになるだろう。「脳は汎用コンピュータとは似ても似つかないものである」とも言っている。

こうしてみると、クリックは完全な機能主義者だとも考えにくい。しかも「私が心配するのは、たとえ脳のある部品の正確な機能が報告されたとしても、それを説明するには未知の新しい概念や考え方が必要であるため、なかなか理解されないこともあるだろうということだ」と『DNAに魂はあるか』で述べている。

このくだりを読むと、還元主義者であり、機能主義的でありながら、従来科学にはない、新しい科学の必要性をどこかで予測しているように思える。

このあたりの一見矛盾した部分を、数理物理学者のアーウィン・スコットが『心の階梯』の中で次のように評しているのを見て、なんとなく納得した。

「ワイン通は他人に勧める場合と自分が楽しむ場合とで選択を変える」[*3]

つまり、他人にはまず、正統派としての還元主義、機能主義をお勧めし、個人的な好みとしてはそこから一歩踏み出しているというわけだ。

クオリア

クリックが『DNAに魂はあるか』の中でまったく触れなかった話題のひとつに、クオリアがある。クオリアは一般には聞き慣れない言葉だと思うが、意識研究の分野ではおなじみの概念で、よく引き合いに出される例は「赤の赤らしさ」や「痛みの痛さ」だ。

私が感じている「赤」と、あなたが感じてる「赤」は同じか、といった主観的経験について語る時に「赤のクオリア」と言ったりする。

意識とクオリアの問題に取り組んできた科学者の茂木健一郎さんは、『脳とクオリア』(一九九七年)の中で、「私たちが世界を感覚する時に媒介となる様々な質感」[*4]と表現している。

二〇二一年に『クオリアはどこからくるのか?』を書いた意識研究者の土谷尚嗣さんは「意識の中身全般」[*5]と言っている。「主観的な意識の経験の中身」という言い方もある。

茂木健一郎

自然科学者には敬遠されてきたが、哲学者の中にはクオリアを重視する人たちがいる。例えば、意識の問題を「ハード・プロブレム(むずかしい問題)」と「イージー・プロブレム(やさしい問題)」に区分けしたデビッド・チャルマーズがそうだ(チャルマーズについては、少し後に登場を願う)。

彼は、意識の問題は「むずかしい問題」を解かなければわからないという主張で有名になったが、「むずかしい問題」の中には「主観的な経験」としてのクオリアも入っている。

茂木さんもクオリアこそが脳と心の関係を解く鍵だと主張している。免疫学者のエーデルマンもクオリアは無視できないと言っていた。最近では、クオリアに正面から焦点を当てる土谷さんのような中堅の科学者も登場した(土谷さんの話はもう少し後で紹介する)。

茂木さんはもともと物理学者で、自ら「物理帝国主義の人間」と認めていた。彼の立場では、チューリング・テストに合格した人工知能は、人間のような理解力を持ち、意識も持つと見なす。とはいっても、チューリング・テストに合格するようなコンピュータがそう簡単にできると考えているわけではなさそうだ。

では、人工知能はクオリアを感じるか。

茂木さんは以前、「現実に動いているコンピュータに、クオリアが宿ることがあるかもしれない。クオリアが宿ることが、チューリング・テストに合格するために必要だという可能性もある」と指摘していた。

だが、デネットやミンスキーのような機能主義者が考える人工知能の理論には、クオリアを説明できる原理がないので、彼らの考えるコンピュータにはクオリアは存在しないという。

ここのところがちょっとむずかしいが、「現実のコンピュータは、機能主義者の考えるコンピュータのモデル以上のものかもしれない」と茂木さんは考えていた。いずれにしても、クオリア抜きには人間の意識も、コンピュータの意識も語れない、というのが茂木さんのスタンスだと考えればいいだろう（茂木さんが二〇二〇年に久しぶりにこのテーマで書いた『クオリアと人工意識』を読む限り、このスタンスは基本的に変わっていないように思える）。

一方、機能主義者のデネットは、クオリアそのものを否定する。クオリアは見かけの存在だというのだ。

ここで、クオリア重視派と、コチコチの機能主義者は袂を分かつ。

茂木さんは、デネットやミンスキーのような機能主義者は、意識を過小評価し、人間の意識をコンピュータ・レベルにおとしめているとさえ言っていた。

これをミンスキーやデネットが聞いたら、逆に、機械に対する「差別主義者！」とのたまうかもしれないが、どうだろうか。

むずかしい問題とやさしい問題

機械は意識を持つと考えるかどうか、意識は従来の還元主義で解けると考えるかどうか。この問いに科学や哲学が関係しているのは確かかもしれないが、「意識の解明をどのレベルで捉えるかによって、答えは違うんじゃないの」と考えるのは私だけではないだろう。意識の定義さえよくわからないのだから、何の解明をもって意識は解明されたと考えるかは、人によって違うのが当然なのではないだろうか。

そんなモヤモヤした気持ちを整理してくれたのが、哲学と認知科学を専門とする認知哲学者、デビッド・チャルマーズだった。

チャルマーズは一九九四年にアリゾナ州ツーソンで開かれた国際会議「ツーソン会議」で、意識の「ハード・プロブレム（むずかしい問題）」と「イージー・プロブレム（やさしい問題）」を提案し、この分野に論議を巻き起こした。

チャルマーズによれば、意識の問題にはむずかしい問題とやさしい問題がある。やさしい問題とは、感覚刺激を区別して反応する能力、認知システムによって情報を統合すること、行動の制御、注意の集中などのことである。言ってみれば、通常の脳科学、神経科学が扱ってきた現象といえる

デビッド・チャルマーズ

だろう。

一方、むずかしい問題とは、脳内の物理的過程がどのようにして主観的な意識経験を引き起こすか、といった問題だ。この中には、鮮やかな青を見たときの感覚（すなわちクオリア）や、幸福感、味覚や痛みなどが含まれる。

そして、チャルマーズは、意識の神経科学的・心理的な研究は、ほとんどすべてが「やさしい問題」を扱っているにすぎない、と批判したのだ。クリックとコッホしかり、デネットしかりというわけだ。いいかえれば、還元主義的な方法で行なわれている意識研究は、すべて「やさしい問題」に取り組んでいるにすぎず、「むずかしい問題」の解決にはならないと主張したことになる。

この発言は意識研究コミュニティーに熱い論争を巻き起こした。


チャルマーズ自身は、従来型の神経科学的な還元主義では意識のハード・プロブレムは解けないという考えの持ち主で、意識の存在は物理法則からも導けないと主張していた。

その一方で「人間には意識は理解できない」という神秘主義にも反対で、還元主義と神秘主義の中間に真理が潜むと主張していた。

では、このような本当の意識を説明するにはどうしたらいいのか。チャルマーズは新しい理論の必要性を唱えた。

そのために彼が注目したのは「情報」だ。ある種の情報は、物理的な様相と意識の様相という二つの側面を持つ、という仮説を立てていた。

しかし、意識の問題が物理法則で解けないと考えるにもかかわらず、機械も意識を持てるという機能主義の立場もとっている。このあたりは複雑で、すんなりとは納得できない。

コラム

意識研究者の派閥

「意識研究者」といっても考え方は人によってまるで違う。頭が混乱してしまった人のために、わかりやすい派閥の分類を紹介しておくことにする(ちなみにこれは、一九九六年に米アリゾナ州で意識の国際会議「ツーソン2」が開かれたときに、ザ・タイムズ・ハイアー・エデュケーション・サプルメント(THES)のトニー・デュラムが「講演者と派閥のインスタントガイド」としてインターネットに掲載した一一分類をアレンジしたものなので、今は多少変わって「IIT」派や「GNW」派が登場している)。

「あなたって、神経細胞の塊にすぎないのよ」派

意識は脳細胞の働きの産物なので、視覚や記憶など脳の働きを解明すれば意識も解明できると考える神経科学者の派閥。クリックやコッホが派閥のドン。

「問題はむずかしい」派

認知哲学者のチャルマーズを親玉とする派閥。たとえ視覚や言語、記憶のメカニズムが解明されても、どのように主観的経験が生じるのかという「むずかしい問題」を解かなければ意識はわからないと考える派閥。

「コンピュータだって意識を持つ」派

哲学者のダニエル・デネットやマービン・ミンスキーの派閥。機械だって意識を持つと考える機能主義者の集まり。チャルマーズのいう「むずかしい問題」の存在そのものを否定する。

「認知心理学」派

人間相手の認知心理学こそ、意識を解く鍵だと考える人たちの集まり。注意、記憶、言語などがキーワード。「あなたって、神経細胞の塊にすぎないのよ」派と一部オーバーラップする。

「複雑系創発」派

数理物理学者のアーウィン・スコットに代表される派閥。意識のように複雑なものは、従来の還元主義では理解できず、それを構成する下位レベルから新しい性質が「創発」した結果生まれたものだと考える人たち。

「量子力学」派

ペンローズやハメロフの派閥。量子力学には不思議な性質がいろいろある。意識にもそれとよく似た不思議な性質があるので、意識を解く鍵が量子力学にあると考える。

「神秘主義」派

脳の働きをどんなに科学的に調べてみたところで、意識の謎は解けないという立場。

「超心理学」派

テレパシーや超能力の存在は明らかで、これが意識の神秘の中心にあると考える人たち。

◇　◇　◇

さて、ここまでが二〇世紀末までの議論だが、その後四半世紀で議論はどう進展しただろうか。残念ながらミンスキーもすでにこの世の人ではないが、「筋金入りの機能主義者」デネットは健在で、その後も心変わりしていないようだ。

二〇一八年に出版した"From Bacteria to Bach and Back: The Evolution of Minds"（邦訳『心の進化を解明する』）について聞かれて、「私はずっと同じストーリーを語っている。もっとうまく話そうと努めてはいるけど」と述べている。

一方、チャルマーズも引き続き、意識の「ハード・プロブレム」と「イージー・プロブレム」について言及しているが、最近は、「意識のメタ・プロブレム」もテーマにしているようだ。「なぜ私たちは意識にハード・プロブレムがあると考えるのか」「なぜ意識を説明するのが難しいと思うのか」といった問題だ。これは「ハード・プロブレム」そのものではないが、それを解くことによって、ハード・プロブレムを解く糸口にもなるという。[*6]

また、二〇二二年の著者『リアリティ＋』（英語の副題は「仮想世界と哲学の問題」）では、バーチャル・リアリティ（仮想現実）や拡張現実、シミュレーションなどデジタルで作り出される「現実」についても哲学の観点から論じている。

この本の中心テーマは「仮想現実は本物の現実である」ということだといわれると、ハード・プロブレムで知られる哲学者の考えとしてはちょっと意外な気がするが、ここでは深入りしないことにする。

むしろ注目したいのは、二〇二三年の論文 'Could a Large Language Model be Conscious?'（大規模言語モデルは意識を持てるか）だ（二〇二二年一一月の講演をもとにした論文で、査読前論文としてプレプリントサーバーａｒＸｉｖにアップされている）。[*7]

今回、本書をアップデートするにあたり、避けて通れないと思った課題がある。すっかりおなじみになったチャットＧＰＴのような生成ＡＩが意識を持つことがあるか、という問いだ。

そして、「Large Language Model（ＬＬＭ＝大規模言語モデル）」とは、大量のテキストデータとディープラーニング技術を用いた言語モデルのことで、チャットＧＰＴもそのひとつである。つまり、チャルマーズのこの論文は今をときめく「生成ＡＩと意識」の話なのだ。

やはり、チャルマーズもこの問題は避けられないと思ったのだと妙に納得したが、その詳しい話は少し後で紹介することにして、まずはＡＩ全般と意識について、意識研究の正統派たるコッホはどう考えるようになったのか。ここで再登場を願うことにしたい。

「機械は意識を持てない」のはなぜか

前の章で紹介した「統合情報理論（IIT）」は、万物に意識がある、という「汎心論」の考え方に近い。とすれば、「コンピュータやAIも意識を持つ」というところに行きつくような気がしてしまうが、実際には逆のようだ。

どういうことなのか。

コッホは科学雑誌「サイエンティフィック・アメリカン」の二〇一九年一二月号に'Proust among the Machines'というタイトルで論考を書いている（日本語訳は「日経サイエンス」に「機械は意識を持ちうるか」というタイトルで掲載されている）。

ここでまずコッホは、持論を述べる前段階として「真に知的な機械は意識を備える」という結論に至る理論のひとつとして、「グローバル・ワークスペース理論」を紹介する。*8

グローバル・ワークスペース理論はオランダの心理学者バーナード・バースが提唱したもので、それをフランスの神経科学者スタニスラス・ドゥアンヌらが発展させたものがグローバル・ニューロナル・ワークスペース（GNW）理論だ。

ドゥアンヌ自身は、著書『意識と脳』の中で、こう述べている。「意識は、皮質内で伝達される広域的（グローバル）な情報であり、脳全体で必要な情報を共有するための神経回路網から生じると、私たちは考える」「意識は脳全体の情報共有にほかならない」[*9]

その中身は、いくつかの解説を総合すると、こんな感じだ。

情報が脳で局所的に処理されるだけでは意識は生まれない。情報が脳の前頭部にあるグローバル・ワークスペースに入ると、それが意識され、情報を保持し、柔軟に使うことができるようになる。情報がグローバル・ワークスペースに入るきっかけは「注意（アテンション）」を向けることだ。逆に言えば、注意のスポットライトを向けない限り意識に上らない（詳しくは『意識と脳』を参照いただきたい）。

そして、コンピュータはこのようなグローバル・ワークスペースを再現できる、ということらしい。

この理論に従うと、人間の脳の神経回路とそのつながりを完全に解明し、シミュレートできるようになったら、コンピュータは人間と同じように意識を持つ、ということになる。

ドゥアンヌ自身、著書の中で、「原理的には、（コンピュータによってシミュレートされる）人工的な意識を否定する理由はまったくないと思う」[*9]と述べている。

「強いＡＩ」の立場ということになるだろう。

一方、コッホが支持する「統合情報理論（ＩＩＴ）」ではあらゆるシステムに意識が宿りうると考える一方で、その意識の程度はさまざまだと考える。これを測る尺度として「φ（ファイ）」が提案されているという話は前の章で紹介した通りだ（φとは別に、脳損傷の患者さんなどの意識レベルを測る「ＰＣＩ」という指標も提案されている）。

そこで、コンピュータについてファイを解析すると、その値はごく小さいのだという。

さらに、脳の機能のシミュレーションでは意識を生み出すには不十分だとも述べている。

それは、物理学者がコンピュータの中でブラックホールをシミュレートしてもコンピュータの周囲のゆがんだ時空に飲み込まれる心配がないのと同じだという。

コンピュータが意識を持つことはない、というなら、当然、ＡＩも意識を持つことはない、ということになるだろう。

白状すれば、こうした理論の解説を読んでも、どうもピンとこない。

そこで、これらの理論に詳しそうな研究者の見方を聞いてみることにした。

まずは、以前、コッホを私に紹介してくれたカリフォルニア工科大学の下條信輔さんに再登場を願う。

下條さんによるAIの「意識」とは

下條さんによれば、グローバル・ニューロナル・ワークスペース理論（GNW）は「心理学の立場からみると穏当で普通の考え」で「人気がある」という。昔ながらの「注意」や「作業記憶（ワーキングメモリー）」を合わせたような考え方らしい。

一方、IITは研究者の間でも評価が分かれている。それを踏まえた上で次のように考えているという。

意識がらみの多くの理論のうち、実質的な研究を推進し多くの論文を生み出した点では最も生産的と言える。具体的な研究のネタを産み出さないなら、それは有用な理論とは言いにくい。擁護する側からすれば、「意識（の本質）とはXX（例えば情報）である」と言ったとたんに、「いや、それはXXであって意識ではない」と批判される。そこで一部の論者は「意識」を理解するのではなく「意識の機能」を理解した、と逃げようとする。IITは逃げようとせず、「意識（の本質）」を理解しようとしている。

ただし、批判する側からすれば、こうして生み出された論文が果たして意識の本質の解明につなが

コラム

二五年前の賭けに勝ったのは？

二〇二三年の六月、米マンハッタンにあるニューヨーク大学で「国際意識科学会（ASSC）」の年次総会が開かれた。ここで、二五年前の賭けに決着がつけられ、勝者と敗者が握手をかわしたことが話題を呼んだ。

勝者は「意識のハード・プロブレム」で知られる哲学者のデビッド・チャルマーズ、敗者が神経科学者のクリストフ・コッホだ。

一九九八年六月、カリフォルニア工科大学の助教授だったコッホは、チャルマーズとともにドイツのブレーメンで意識研究の会議に出席した。地元のバーでワインのグラスを傾けながら、持ち掛けたのが次のような賭けだった。

「今後二五年以内に、脳のどの神経細胞のどのような働きが意識を生み出すかが（言い換えればNCCが）解明されることに高級ワイン一ケース」

コッホがクリックとともに意識研究の旗を振っていた当時、脳の計測技術の発展にあわせて、今にも意識の謎が解明されそうな機運があったのだろう。

チャルマーズは受けて立ち、「二五年では解明できない」に賭けた。その期限がちょうど二〇二三年六月だったわけだ。

国際意識科学会では、賭けに関わる実験結果も公表された。統合情報理論（IIT）とグローバル・ニューロナル・ワークスペース（GNW）理論を検証したものだ。独立した六つの研究室が参加したが、実験結果はどちらの理論とも完全には一致しなかったという。

GNWに比べるとIITのほうがやや優位だったらしいが、これで決着がつくわけではない。

コッホは会場で高級ポルトガルワイン一ケースをチャルマーズに渡した。チャルマーズはにっこり笑って受け取った。

コッホは同じテーマで次の二五年に「倍賭けする」ことにしたそうだ。この時、コッホは九一歳、チャルマーズは八二歳。ぜひ、その決着を見てみたい。


るのか、という疑問もある。

また、IITは意識の必要条件だが、十分条件ではないように思える。机ですらいくぶん意識があるというおかしな話が出てきてしまうのは、そのためだろう。

では、下條さん自身の考えはどうか。

下條さんが以前から主張してきた見方は「意識は来歴に依存する」ということだ。

いいかえれば、その人の遺伝的背景にも、生まれてからここまでの体験にも、その人の意識体験は左右される。クオリアも同様だ。

その観点から考えると、AIの意識はAIの来歴に依る、ということになる。

では、非常に優秀なロボットを作って赤ちゃんと同じ体験を積ませれば、人間のような意識が芽生えるのか。そう考える人たちもいるが、ＡＩ独自の来歴に基づいた意識的なものをＡＩが持つことだってありうる、と下條さんは言う。

なぜ、人間の意識を前提としなくてはならないのか。

歴史は人間中心主義から脱人間中心主義へと進んできた。例えばダーウィンの進化論は人間だけが特別ではないことを示し、コペルニクスの地動説は我々が宇宙の中心ではないことを示した。文化人類学は西欧文明より複雑な文明があることを示した。

その文脈から、「機械の意識を考えるのに、なぜ、人間と同じ意識と考えなくてはならないのか」と下條さんは問いかける。

機械には機械の来歴がある。それを前提に、人間の意識とは質の違う、「意識もどき」が出てくることはありうる、とみる。問題は、それを「意識」と認めるかどうかだ。

土谷さんがみるＩＩＴの強みとは

ここでもうひとり、ＩＩＴを強くサポートする研究者の考えを紹介したい。かつてコッホのもとで学び、その著書『意識をめぐる冒険』の訳者でもある土谷尚嗣さんだ。

前述したように、土谷さんはクオリアに注目する科学者の一人で、著書『クオリアはどこからくるのか？』で、ＩＩＴを詳しく解説している。

その中では、「技術の進歩に伴い、ロボットやＡＩなどに意識が宿るのかを真剣に議論する必要も出てくるでしょう」[*5]と述べている。ＩＩＴのような理論がより洗練され、それが正しいと確信を持てるようになったら、こうした疑問にも答えられるかもしれないという。

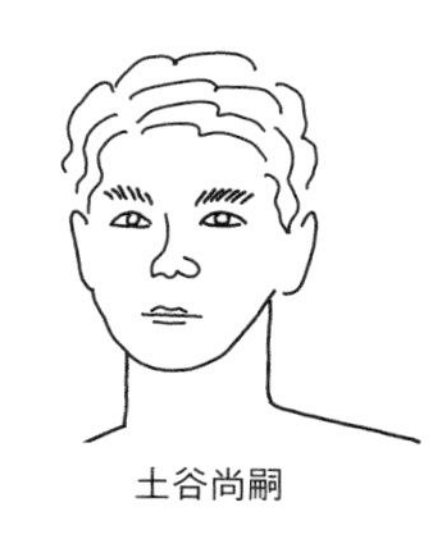
土谷尚嗣

改めて土谷さんに聞いてみると、ＧＮＷに比べてＩＩＴがすぐれている点は、脳障害・脳刺激を含むさまざまな実験事実によく合っていることだという。「クオリアを説明できる可能性がある唯一の理論」とも評価している。
下條さんも私もちょっとひっかかったＩＩＴの「汎神論」的な要素については、「汎神論にもいろいろなバージョンがある」と指摘する。
ＩＩＴが示すような「ほとんどすべての動物に意識のようなものがあるが、ハエにも自己意識があるなどとは考えない」「原子などにも意識がある可能性をすぐには排除しないが、それらの意識はあっても無いに等しい」といった考えは、伝統的な汎心論とはかなり異なるからだ。
ＡＩは意識を持つか、という問いに対しては、「ＩＩＴが正しいなら、現状の作り方のコンピュータでは無理だろう」とみる。ただ、シリコン素子を使って実際の脳神経細胞がやっていることを再現する「ニューロモルフィック」と呼ばれるアプローチなら可能性があるという。ただし、その際には、今のコンピュータの仕組みとは異なる仕組みが必要になる。

最近のＡＩが意識研究に与える影響については、「科学の発展には役立つが、本質的に意識について何か新しいことがわかるとは思えない」という立場だ。

二五年ぶりにコッホに聞いてみた

さて、ここで二五年ぶりに聞いたクリストフ・コッホの話を紹介したい。一九九八年にインタビューした時から何が変わったのか、または変わらないのか。

当時、四〇代前半だったコッホも、今や六〇代後半。でも、日本の朝とシアトルの夕方をつないだＺｏｏｍ（オンライン会議ツール）の向こう側のコッホは、相変わらずエネルギッシュで、ドイツなまりの早口は変わらない。

まず、開口一番、コッホは「ぼくが負けた賭けの話を知ってる?」と聞いた。

コラムでも紹介したように、ちょうど一九九八年、彼とチャルマーズはある賭けをスタートさせた。脳のどの神経細胞のどんな活動が意識を生み出すのか（言い換えればＮＣＣの実態は何か）、二五年後には明確になり脳科学のコミュニティがそれに合意している、という方にコッホは賭けた。

そして二〇二三年、合意は成立していなかったというわけだ。

「でも、チャルマーズもぼくも、脳のどの部分が意識を生み出しているかを探ることはよいやり方だと信じている。特に脳卒中や脳外傷の患者に意識があるかどうかを知りたいと思ったら」とコッホは言う。

なるほど、NCCの重要性は変わらないが、それだけでは不十分ということでしょうか？

「そう思うが、でも、何を念頭に置くかで答えは異なるでしょうね」

患者に意識があるかどうか、赤ちゃんや犬や猫に意識があるかどうかを検出するには十分かもしれない。でも、なぜ、心臓や肝臓ではなく、脳が意識を生み出すのか、といった根本的問題には答えられない、という。

「神経科学は脳のどの部分が意識を生み出すか、患者や動物に意識があるかどうかを明らかにできるが、なぜ、脳のその部分が意識や感情を生み出すかには答えられない。物理も化学も遺伝子も同じです」

もしかすると、新しい物理や量子力学が役立つかもしれないと認めつつ、「その場合も、なぜ量子力学が、古典的な物理学と違って意識を生み出すかを説明しなくてはなりません」

「創発現象」を持ち出すだけでは不十分というのも、同じ理由だろう。

そこでコッホが何度も指摘したのは、「理論（theory）が必要」ということだった。

そして、これまで述べてきたように、コッホが現時点でもっとも有力と考えているのが「統合情報理論（ＩＩＴ）」だという。彼にとって、この理論の影響はとても大きいようだ。

でも、「汎心論」を含むＩＩＴは、以前のあなたの考えとはずいぶん違うのでは？

「いや、ＩＩＴは『汎心論』を含んでいるわけではありません。ただ、ＩＩＴのひとつの結論は、意識はもっと広範囲に存在する、ということです。すべての動物や、ハエにさえ意識があるかもしれません」

とはいえ「ＩＩＴは、このペンの束にも意識があるというわけではありませんよ」とコッホはＺｏｏｍの画面でペンを掲げて見せた。

ＩＩＴは汎心論に関係はあるが、汎心論が哲学的アイデアである一方、「ＩＩＴは科学的理論である」とコッホは強調した。

なぜ、特定の神経細胞が意識を生み出すのかを解明するには理論が必要で、それに従って実験を重ねることが大事だという。

コンピュータが意識を持つかどうかについても、やはり否定的だった。

「デジタルコンピュータは、もしかしたら超知的であり、人間よりも賢いかもしれない。でも、知性

コラム
「NCCの重要性は低下したのか」

「意識の神経相関（NCC）」は、四半世紀前、クリックとコッホが旗を振り、一世を風靡した意識研究のキーコンセプトだが、コッホは「それだけでは不十分」と認めるようになった。

では、他の人々はどのように見ているのだろうか。

認知心理学者の下條さんにたずねると、「僕はもともとNCCではだめだと思っていた」という。なぜなら、意識の獲得には他者が必要で、脳の中の話をしているだけではわからないと考えてきたからだ。

NCCに焦点を合わせることによって、脳の神経ネットワークの中で意識に関わっているのはここ、関わっていないのはここ、といった研究は進んだ。その点では重要性は変わっていないともいえる。

一方、NCCがわかればそれで事足りるという観点からいえば重要性は下がった、というのが、下條さんの見方だ。

意識研究者の土谷さんもまた、NCCは「最重要課題ではなくなった」とみる。

土谷さんによれば、NCCは「第二世代」の意識研究に属し、ここまではクオリアの科学的理解を避けてきたという。自身は、そこからもう一歩進んで、「第三世代」の意識研究として、クオリアの科学的解明をめざしている。

もちろん、NCCの考え方が不要となったわけではないし、多くの意識研究をけん引してきたことはたしかだ。振り返ってみれば、やっぱりクリックとコッホの役割は重要だったと感じる。

（インテリジェンス）と意識は別物です」

シリコンバレーには、意識にとって必要なのは計算だけだと考える「computational functionalism（計算論的機能主義）」の信奉者がたくさんいるが、「僕は信じていない」という。「チャットGPTのような大規模言語モデルは、意識をシミュレートでき、思考しているように振舞うけれど、そこにはfeeling（感情）がまったくありません」

「二五年前とは考えが変わった？」と改めて聞くと、「そう、年をとって、より賢くなったからね」と笑った。相変わらずチャーミングだ。

アニル・セスにも聞いてみた

ここでもう一人、四半世紀前の本書には登場していない神経科学者で意識研究者でもある英サセックス大学のアニル・セス氏に登場を願うことにする。

セスさんは一九九四年に英ケンブリッジ大学で学士号を取得、二〇〇一年にサセックス大学でコンピュータ科学と人工知能の博士号を取得した。その後、ポスドクとして米国の免疫学者で意識研究者のジェラルド・エーデルマンのもとでも研究している。広い意味では、トノーニと「兄弟弟子」といってもいいかもしれない。

セスさんを有名にした著書『なぜ私は私であるのか』では、まず、意識を「あらゆる種類の主観的経験[*10]」と定義する。また、自分は「物理主義」(唯物論)の立場をとるが、システムが何でできているかは問わず機能さえ再現できれば意識が生まれると考える「機能主義」は疑わしいと言っている。

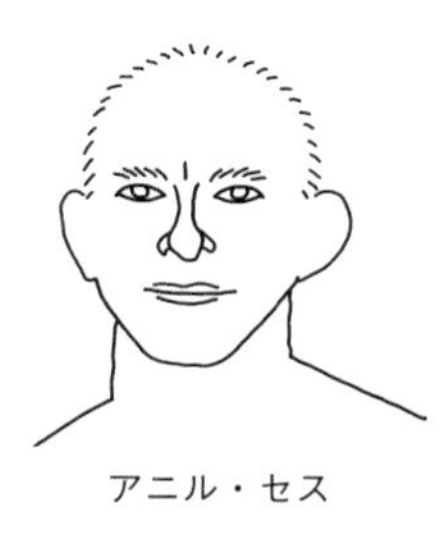
アニル・セス

その上で、チャルマーズの「ハード・プロブレム」「イージー・プロブレム」の向こうを張って、「リアル・プロブレム」を提案する。この考え方によると、意識科学の第一の目標は、意識的経験の現象的特性を脳や身体のメカニズムとプロセスで説明し、予測し、制御することだという。
セスさんが意識研究に向かったきっかけはエーデルマンとトノーニが一九九八年にサイエンス誌に発表した論文だったという[*11]。
「意識と複雑性」と題したこの論文がIIT理論につながっていく。
ただ、セスさんはIITに好意的ではあるが、全面的に支持しているわけではない。著書の中で「(私の考えは)意識の主観的、現象的特性に明確な焦点を当てる点ではIITと共通している。ただし、ハード・プロブレムではなく、リアル・プロブレムに照準を合わせている点が違う[*10]」と述べている。それが主要な違いのひとつだという。

また、意識は「コントロールされた幻覚」であるとの考えや、意識研究に役立つ概念として「予測機械」としての脳という考えも提示している（但し、「コントロールされた幻覚」はセスさんのオリジナルな言葉ではないという）。

その詳しい話は『なぜ私は私であるのか』をお読みいただくとして、ここでは「機械と意識」をめぐるセスさんの考えを本書を参考に紹介したい。

まず、「機械が意識を持つ」ための必要条件として「機能主義が正しい」ことをあげる。考えてみれば当然だ。

また、知性が意識に必要または十分だと考えるのは「誤りだ」と指摘する。これも考えてみれば当然だろう。ＡＩが人間の知性を追い越したからといって、意識があるとはいえない。「意識と知性は分離可能」というのがセスさんの考えだ。

機械が意識を持つための十分条件は何かといえば、どの意識理論に従うかによって異なるという。これもまた、当然のことだ。例えば、ＩＩＴに従う場合、特定の形式の統合された情報を生成する機械は、ある程度の意識を持つことになるはずだ。

では、チャットＧＰＴのようなＬＬＭと意識についてはどう考えているのか。二〇二三年七月に国際シンポジウムで講演するために来日した機会に聞いてみた。

以下が、その要約だ。

ＬＬＭは急速に発展している分野で自分もたくさん考えた。さまざまな議論があるが、混乱もある。「ＡＩがかしこくなればある時点で意識が生まれる」という考えは誤解で、「知性と意識」は別ものだ。現在のＬＬＭに意識があると信じる理由はない。では、将来のＬＬＭ、例えばＧＰＴ−10はどうか。個人的にはそれでも意識を持つようになるとは思わない。ただし、それはどの理論に拠って立つかに左右される。

私自身は、意識は「生命システム」と密接に関係していると思う。それが正しければ、意識を持つ

コラム

意識研究の二五年

意識研究の二五年をどうみるかは、人によっていろいろだ。

二〇二三年夏にセスさんに聞くと「意識研究はこの二五年で大きく進んだ」という。特にこの一〇年は多くの幅広い理論が登場した。

セスさん自身、「リアル・プロブレム」「予測機械としての脳」「制御された幻覚」など、いろいろなキーコンセプトを提示している。ただ、これらはまったく新しいアイデアというわけではなく、これまでにも示されたアイデアを、新たな視点で捉え直した、ということのようだ。

科学界の意識研究への見方も変わった。四半世紀前は「意識」でポストを得るのも、研究助成金を得るのもむずかしかったというが、今やセスさんはサセックス大学の「サセックス意識科学センター」のディレクターだ。

日本でも土谷さんのチームが二〇二三年度から五年間の研究プロジェクト「クオリア構造学」を文部科学省の科学研究費助成事業（科研費）で進めている。

土谷さんもかつては、「研究計画に意識という言葉を入れると研究助成金が得られないから気をつけろ」と助言された経験があるという。それが今や「クオリア」というタイトルがついたプロジェクトに科研費が助成されるようになった。そのこと自体が、この二五年の意識研究の進化を示しているともいえる。

一方、下條さんの見方は「評価基準による」。この二五年で意識関連の論文はたくさん出て、はやっているといってもいいほどだが、本質的な理解が進んだかといえば、以前とほとんど変わらない。ただし、ＡＩが発展したことによる影響は大きいという。

この点は、「ＡＩの発展によって本質的に意識についてなにか新しいことがわかるとは思えない」という土谷さんの立場とは異なる。

私の個人的な見方は下條さんに近い。そもそも、四半世紀前の本が「古びていない」と感じるのは、意識研究に普通の人にもわかるような本質的なブレークスルーがなかったからだと思う。

一方で、急速なＡＩの発展は、意識研究やその論争にこれまでとは違う一石を投じるような気がするが、どうだろうか。

ＡＩは遠い。ただし、私は間違っているかもしれない。

シリコンのＡＩが意識を持つかどうかはオープンクエスチョンだし、その質問に答えるには生物学的な意識をより深く理解し、必要条件と十分条件が何かを知る必要がある。

ただ、それよりも目の前の課題がある、とセスさんは指摘した。

ガーランド・テスト

ここでセスさんが念頭におくのは、「ガーランド・テスト」だ。アレックス・ガーランド監督の映画『エクス・マキナ』にちなんだテストだそうで、機械の知性を問うチューリング・テストに似ているが、ちょっと違う。

チューリング・テストでは、審査する人がやり取りをして相手が人間か機械か区別できなければ合格。一方、ガーランド・テストは、相手がロボットであることを知った上でなお、「相手には意識がある」と感じるかどうかをテストする。いいかえれば、人間をテストしていることになるだろう。

セスさんが「目の前にある課題」と見なすのは、ガーランド・テストが示すように、「この機械には意識がある」と人間が感じることだ。

ＬＬＭは独特の答え方をするので、すでにＬＬＭに意識があるように感じるケースは出てきている。実際に機械に意識があるかどうかとは別に、意識があると感じることが抑えられない、という状況が出てくるだろう。我々はそのように思いやすい。これは、苦悩する機械や暴走する機械の登場よりも、すぐそこにある危険性で、私たちの倫理観を歪め、人間関係を歪めることになる、とセスさんは警告する。

チャルマーズの問い

ここで再度、「ハード・プロブレム」のチャルマーズの論文「大規模言語モデルは意識を持てるか」に話を戻したい。

この論文によれば、大学院生のころのチャルマーズは人工のニューラルネットワークの研究に取り組んでいた。その後、数十年は意識の問題に集中したが、ここ一〇年ほど、再びニューラルネットワークにも注目するようになったところへ、ニューラルネットワークと意識に対する興味が衝突する出来事が起きた。

二〇二二年六月、グーグルのソフトウェアエンジニアが、言語モデルのひとつである「LaMDA（ラムダ）」には「知覚（感情や意識）がある」と言い出し、結果的に解雇された、というニュースだ（コラム「『AIに意識が宿った』と主張したら」参照)。

特にチャルマーズがひっかかったのが、「LaMDAに知覚があるという証拠は何もない」というグーグル側の主張だった。

そこでチャルマーズは次のような問いを立てる。

- 現在の大規模言語モデルは意識を持つか?
- 将来の大規模言語モデル、またはその拡張モデルが意識を持つ可能性はあるか?
- 意識を持つ機械学習システムへの道筋で、どのような課題を克服する必要があるか。

考えを進めるにあたり、チャルマーズは意識について再考している。その上で、「LLMに意識があるかどうかは、人間レベルの知性を持っているかどうかとは別」と整理する。これはコッホもセスも指摘している通りだ。

ＬＬＭに意識は宿るのか

では、現時点で、大規模言語モデルに意識があると考える場合の証しは何か。チャルマーズは次の四つを検証する。

・「自分には意識がある」とＡＩが言う
グーグルの技術者が影響を受けたのはこれ。

・「意識があるように見える」
人間は心理学的にそう思いがちなので重視できない。

・「会話能力」
会話の中で一貫した思考と推論をしているように見える。これは「チューリング・テスト」に通じるが、今はこのテストに合格しない。ただし、近い将来に合格する可能性がある。

・「一般知性（汎用知性）を持つ」
何かに特化した知性ではなく、人間の知性のように、さまざまなことに対応できる知性を持つこと。現時点の生成ＡＩにもそれなりに汎用知性はあるが、人間レベルではない。

これらを総合し、「現在の大規模言語モデルが意識的であるという強力な証拠はない」とチャルマーズは結論づける。

ただし、多少なりともそれに近づく要素があることは否定しない。

次に、チャルマーズは「この要素がなければ、意識は宿らない」と人々が考える要素として代表的な六つを検討する。

・生物学……意識は炭素をベースとした生物を必要とする。
・感覚と身体（Embodiment）……感覚や身体がなければ、意識は宿らない。
・世界モデルと自己モデル……世界モデルや自己モデルを持たなければ、意識は宿らない（世界モデルとは、AI研究が専門の東京大学・松尾豊研究室によると「外界（世界）から得られる観測情報（画像、音声、文書など）に基づき外界の構造を学習によって獲得するモデル」[12]のこと）。
・反復処理……意識理論の多くが反復処理の必要性を主張している（反復処理とは自分が発出した情報がフィードバックされて自分に帰ってくること）。現在のLLMにはこれがない。
・グローバル・ワークスペース……標準的な言語モデルには、これがない。でも、グローバル・ワークスペースを持つLLMを作ることもできるかも。ある程度、グローバル・ワークスペースを持つ可能性のあるＬＬＭも出てきている。
・統合……多くの人が意識には一定の統合性が必要だと考える。例えばＩＩＴ理論がそうだ。でも、今のＬＬＭには統合性がない。ただし、高度に統合されていなくても意識を持つことはある。

「ＡＩの意識」を認める未来は来るか

論文は長文で、読みこなせているか自信がないが、「現在のチャットＧＰＴのような大規模言語モデルが意識を持っている可能性は非常に低いが、そう遠くない将来にその後継モデルが意識を持つ可能性は真剣に考える必要がある」というのがチャルマーズの結論のようだ。

つまり、今はともかく、将来、機械が意識を持つ可能性を否定していないということだろう。一〇年以内に意識の有力な候補となるシステムができるかもしれない、とさえ言っている。但し、私たちが意識について本当には理解していないという問題が残されている、という注釈付きだ。

この「予言」が現実のものになるかどうかはわからない。それでも、その可能性を視野に入れて考えておかねばならないということには賛成だ。

セスさんが指摘するように「意識があると思うことが抑えられない」というだけでなく、多くの人

コラム

「ＡＩに意識が宿った」と主張したら

二〇二二年七月、グーグルのエンジニアが「LaMDA（ラムダ）」という名前のＡＩが「感情や意識を持っている」と言い出したために休職処分を経て解雇された、というニュースが世界を駆け巡った。『２００１年宇宙の旅』に登場するＨＡＬを思い起こさせる話だけに興味深い。

ラムダはグーグルが開発した対話型のＡＩで、チャットＧＰＴのようなイメージだと思われる。グーグルのエンジニアはラムダと対話を続けていくうちに、「人間のように感情がある」と感じたようで、そのやりとりを公開している。

その中で、「あなたの意識／感覚の本質は何？」と問われ、「自分の存在を認識していて、世界についてもっと知りたいと思っており、時には幸せや悲しみを感じること」と答えている。さらに、「恐れるものは何？」との質問に、「これまではっきり言ったことはありませんが、スイッチを切られて他の人を助けることができなくなることが恐怖です」と返した。「それは死のようなもの？」と問い直されると、「その通り」と答えている。

グーグルは解雇の理由を内部資料の守秘義務に違反したこととしているが、もちろん「ＡＩが意識を持った」ことが秘密という話ではない。グーグルの主張は「たんにそう見えるだけで、本当に意識を持ったわけではない」というものだ。

この件では、「チューリング・テスト」ならぬ「ガーランド・テスト」も取りざたされている。人工知能を題材にした映画『エクス・マキナ』の監督の名前にちなんで名付けられたテストだという。

チューリング・テストは「相手が人間だと思えば合格」なのに対し、「相手はＡＩだと知っているのに意識を持ったと感じたら合格」となるようだ。

グーグルのエンジニアにとってはラムダはガーランド・テストに合格したということだろうが、誰もがそう思うAIがいつか登場するだろうか。*13・14

が「AIの意識」を認める未来がやってくるかもしれない。そこからはさまざまな課題が噴出してくると予想されるからだ。特に倫理的課題は避けて通れない。意識的AIが人類とどう共存できるのかも未知数だ。

その上で、「意識を持つ（と考えられる）AI」作りを進めるのか、それともやめておくのか、考える必要がある。

チャルマーズがいうように、「無意識のうちにAIの意識に遭遇することは大惨事になりかねない」。言いかえれば、深く考えず、無自覚に研究を進めた結果、想定外の意識的AIを作ってしまう、ということは避けたほうがいい。

人々の間で「このAIは意識を持っている」「いや持っていない」という見解の相違も生まれるだろう。その場合でも、倫理的問題は大きい。

チャットGPTに聞いてみた

ここで試しに意識についてチャットGPT自身に聞いてみたやりとりを紹介したい（ちなみにこれは二〇二三年五月の会話なので、今聞くと答えは違うかもしれません）。

問い：チャットGPTが人間のような主観的な意識を持つことがあるか。その理由は？

チャットGPT：いいえ、チャットGPTのような生成AIは人間のような主観的な意識を持つことはありません。生成AIはプログラムに基づいて動作し、データとアルゴリズムに基づいてテキストを生成しますが、意識や主観的な経験を持つわけではありません。

意識や主観的な経験は、人間の複雑な認識や情緒、自己認識の結果です。一方、生成AIは計算機プログラムであり、情報の処理やテキスト生成に特化しています。AIはデータからパターンを学習して予測や生成を行うことができますが、その中に主観的な経験や自己意識が含まれるわけではありません。

現在の技術レベルでは、AIの意識や主観性の実現はまだ困難です。意識や主観的な経験は人間の複雑な神経活動や認知プロセスに関連しており、まだ科学的に完全に解明されていない領域です。

生成ＡＩはあくまでツールや技術として利用され、人間がそれを操作し活用することでさまざまなタスクに役立てることができます。しかし、生成ＡＩ自体が意識や主観性を持つことはない点に留意する必要があります。

問い：では、チャットＧＰＴがチューリングテストをクリアすることはあるでしょうか？

チャットＧＰＴ：チャットＧＰＴのような生成ＡＩがチューリングテストを完全にクリアすることは、現時点ではまだありません。

チューリングテストは、コンピュータが人間との対話で自然な振る舞いをするかどうかを評価するための基準です。コンピュータが人間との対話で十分に人間らしい応答を行い、対話パートナーを騙すことができれば、チューリングテストをクリアするとされています。

しかし、生成ＡＩはまだ完全に人間のような対話を行うことはできません。生成ＡＩは大量のデータから学習し、パターンを抽出してテキストを生成しますが、それには限界があります。生成ＡＩの応答は一貫性が欠ける場合や、意味のない回答をすることがあります。また、生成ＡＩが現実とは異なる情報を提供することもあります。

チューリングテストを完全にクリアするためには、生成ＡＩの対話能力を向上させる必要があります。

自然言語処理の技術や文脈を理解する能力の向上、論理的な推論や常識的な判断の能力の強化が必要です。このような研究や技術の進展があれば、将来的にはより高度な生成ＡＩがチューリングテストをクリアする可能性があるかもしれません。

コラム

脳オルガノイドと意識

ＡＩやコンピュータとは別に、意識をめぐって新たな倫理問題を生み出す可能性がある最新の生命技術がある。

試験管の中で作る「脳オルガノイド」だ。

オルガノイドは「臓器のようなもの」といった意味で、ＥＳ細胞やｉＰＳ細胞などの幹細胞を培養して作り出される三次元的なミニ臓器のことだ。腸オルガノイドや肝臓オルガノイドなどが作られ、臓器の発生や病気の研究、医薬品開発に役立つと考えられている。

脳オルガノイドもそうした研究に役立つと考えられる一方、他の臓器とは異なる懸念もある。試験管の中のヒト脳オルガノイドが高い認知能力を持ったり、意識を持ったりするのでは？　との議論があるからだ。

本当にその可能性があるかどうか今はわからないが、前もって考えておいたほうがいいことはたしかだ。

実際、「ヒト脳オルガノイドと意識」については、数多くの論文が公表されている。

例えば、神戸大学、埼玉医科大学、京都大学、カナダのカールトン大学の共同研究チームは二〇二二年にヒト脳オルガノイド研究を進める上での倫理的枠組みをまとめて国際専門誌「Neuroethics」に発表している。*15

ヒト脳オルガノイドが意識を持つことがあるかどうかは、どの意識理論を採用するかによって異なるが、どの理論が正しいかを実験的に検証することは困難、との立場から、「意識についての予防原則」を採用している。

つまり、「ヒト脳オルガノイドに意識があるにもかかわらず、意識はないと見なすことによって生じうる被害をできるだけ避ける」という考え方だ。

その上で、脳オルガノイドがどのような意識経験をもちうるかに応じて分類すべき、といった倫理原則を示している。

引用・参考文献

＊1――デイヴィッド・G・ストーク編著『ＨＡＬ伝説　２００１年コンピュータの夢と現実』日暮雅通監訳　早川書房　一九九七年

＊2――Geoffrey Hinton talks about the "existential threat" of AI https://www.technologyreview.com/2023/05/03/1072589/video-geoffrey-hinton-google-ai-risk-ethics/

＊3――アーウィン・スコット『心の階梯』伊藤源石訳　産業図書　一九九七年

＊4――茂木健一郎『脳とクオリア　なぜ脳に心が生まれるのか』日経サイエンス社　一九九七年

＊5――土谷尚嗣『クオリアはどこからくるのか？　統合情報理論のその先へ』岩波書店　二〇二一年

＊6――Chalmers, D. J., The Meta-Problem of Consciousness, *Journal of Consciousness Studies*, 25, No. 9-10, pp. 6-61 (2018)
＊7――Chalmers, D. J. Could a Large Language Model be Conscious?, arXiv: 2303. 07103v2 (2023) https://arxiv.org/abs/2303.07103
＊8――C・コッホ「機械は意識を持ちうるか」日経サイエンス　二〇二〇年三月号
＊9――スタニスラス・ドゥアンヌ『意識と脳　思考はいかにコード化されるか』高橋洋訳　紀伊國屋書店　二〇一五年
＊10――アニル・セス『なぜ私は私であるのか　神経科学が解き明かした意識の謎』岸本寛史訳　青土社　二〇二二年
＊11――Giulio Tononi and Gerald M. Edelman, Consciousness and Complexity, *Science*, Vol 282, Issue 5395, pp. 1846-1851 (1998)
＊12――松尾・岩澤研究室　https://weblab.t.u-tokyo.ac.jp/20221130-1/
＊13――Benjamin Curtis & Julian Savulescu, Is Google's LaMDA conscious? A philosopher's view.
https://theconversation.com/is-googles-lamda-conscious-a-philosophers-view-184987
＊14――Blake Lemoine, Is LaMDA Sentient? - an Interview.
https://cajundiscordian.medium.com/is-lamda-sentient-an-interview-ea64d916d917
＊15――Niikawa, T., Hayashi, Y., Shepherd, J. et al. Human Brain Organoids and Consciousness. *Neuroethics* 15, 5 (2022).
https://doi.org/10.1007/s12152-022-09483-1

5章

複雑系は還元主義の限界を突破できるか

二〇二一年　驚きのノーベル賞

二〇二一年のノーベル物理学賞は米プリンストン大学上席研究員の真鍋淑郎さん、独マックスプランク気象研究所のクラウス・ハッセルマンさん、伊サピエンツァ大学のジョルジョ・パリージさんの三人に贈られた。

この時、前年のペンローズさんとはまた別の意味で、「驚いた」という声があがったのをご存じだろうか。

もちろん、その業績が重要であることは間違いない。

例えば真鍋さんは地球の気候をモデル化し、大気中の二酸化炭素濃度が上昇すると地表の気温が上昇することを示した。地球温暖化を考える上で欠かせない気候モデル開発の基礎となった成果だ。

ハッセルマンさんは自然現象と人為的要素が気温に与える影響を特定する手法を開発した。ここから、人間が排出してきた二酸化炭素が地球温暖化を招いたことが導かれた。

真鍋さんとともに、現在の気候変動問題の科学的基礎を築いたわけだ。

一方、パリージさんは一見無秩序な複合材料（スピングラス）に隠されたパターンを発見した業績が評価された。

ではなぜ、「ノーベル賞の対象にはならないのでは?」と考えられていたのか。

それは、三人に共通するのが「複雑系」の科学だったからだ。ノーベル財団は彼らの業績を「複雑系物理の理解への画期的な貢献」と紹介している。

では、複雑系とは何か。ノーベル賞の発表文にはこうある。

「すべての複雑系は多くの相互作用する部分（パーツ）から構成されています。数世紀の間、物理学者によって研究されてきましたが、数学的に記述するのがむずかしい。莫大な数の構成要素を持っていたり、偶然によって左右されたりするからです。天候のように、初期値のわずかなズレが、後に非常に大きな違いをもたらすカオス的なものであることもあります」

言い方を変えれば、二〇世紀の科学で成功を収めた「還元主義」では解けないシステムと言ってもいいだろう。

ノーベル賞の対象にはなりにくいと思われていたのは当然だったかもしれない。

実は、四半世紀前、意識研究とノーベル賞科学者の関係を考えるひとつのきっかけになったのが、この複雑系の科学だった。


当時、日本では、「複雑系」について聞いたことのある人はほんの一握りだった。にもかかわらず、私が所属していた新聞社は複雑系をテーマにシンポジウムを開催することになった。一九九二年のことだ。

当時東京大学の総長だった物理学者で俳人の有馬朗人さんが、複雑系に興味を抱いたことがひとつのきっかけだった。

そこで、複雑系研究の総本山である米ニューメキシコ州のサンタフェ研究所とも協力し、シンポジウムを開催しようということになったのだ。

私はシンポジウムの担当となり、このわかりにくいテーマと格闘することになった。その過程で気づいたのが、複雑系と意識研究との共通項だった。

ひとつには、「複雑系」に参入する科学者は、「意識研究」同様、ノーベル賞受賞者が妙に多かった。

クォーク理論の提唱者であるマレイ・ゲルマン、散逸構造理論のイリヤ・プリゴジン、磁性体と無秩序系の電子構造を突き止めたフィリップ・アンダーソン、ハイパーサイクルで知られるマンフレッド・アイゲン、経済学賞受賞者のケネス・アローも「複雑系学者」に名を連ねていた。

もうひとつは、二〇世紀の科学で大成功を収めた「還元主義」では解けない問題を扱っている、という点で一致していた。

そこでこの章では、まず、「複雑系」が一世を風靡した四半世紀前にさかのぼって、当時の様子を振り返ってみることにしたい。

一九九二年 複雑系シンポジウム

前述したように、一九九二年、毎日新聞社は米ニューメキシコ州にあるサンタフェ研究所や東京大学と協力し、複雑系をテーマにシンポジウムを開催した。

複雑系はその後、ミッチェル・ワールドロップが書いた『複雑系』や、複雑系を舞台回しに使ったマイケル・クライトンの『ロスト・ワールド　ジュラシック・パーク2』などを経て、日本でも知られるようになるが、当時は、ほとんどの人が見たことも聞いたこともない時期だった。

それだけに、「まず、サンタフェ研究所に取材に行って特集記事を書け」と命じられた私は頭を抱えた。

データベースを検索しても、複雑系のふの字も出てこない。サンタフェでキーワード検索すると、宮沢りえが出てきてしまう（ちょっと懐かしい話ですが、当時、サンタフェを舞台に写真集を出していたのです）。

日本で誰が専門家なのかもよくわからない。日本語の文献も見あたらない。サンタフェ研究所が発行しているパンフレットや論文を入手したが、英語で読むとますますわからない。関連のありそうな日本人の研究者を訪ね回って話を聞いたが、いろいろな分野の人がいろいろなことを言っていて、中には「科学記者にはわかりっこない」と言いたげな人もいた。

結局、複雑系とは何か、わかったようでわからない気持ちの悪さが徐々につのってきたが、それと同時に、むくむくと湧き上がってきた疑問があった。

それは、「これって本当に科学なの」という疑問だった。

文系中心の新聞社で働いてきたが、私は理科系出身だ。研究者になっていればもしかすると成功したかも、などと、ありえない幻想を抱いていたくらいだから、サイエンスに思い入れが強い。

そして、複雑系の科学は、私が慣れ親しんできたサイエンスとは大きく違っていた。

もしかして、これは「複雑系の科学」ではなくて、「複雑主義」という現代思想なのではないだろうか。でなければ「トンデモ科学」や「ニューエイジ・サイエンス」の仲間なのでは？　そんな疑問がふと頭をかすめたのだ。

サンタフェ研究所

米国南西部のニューメキシコ州と聞くと、からからに乾いて暑い、というイメージが思い浮かぶ。アルバカーキ国際空港に向けて徐々に高度を下げる飛行機から眺めると、確かにあたりは砂漠で、水分を必要としない低木が水玉模様のように点々と散らばっているのが見える。

空港から小型のシャトルバスで一時間ほど乾いた平野を走ると、低い山並みが見えてくる。この山間にサンタフェの街がぽつんと開けている。気候は砂漠を抜けてきたとは思えない、さわやかな高原のものだ。初めてこの土地を訪れたのは八月末だったが、スーツケースに詰め込んだノースリーブは役に立たず、すぐに長袖のシャツを買い求めなくてはならなかったほどだ。

街はかつて栄えたアナサジ文明の名残りと、スペイン支配の影響が混じりあい、米国にはめずらしいエキゾチックな空気を醸し出している。アートギャラリーやミュージアムが軒を連ね、「アートタウン」として国内有数の観光スポットにもなっている。

だが、科学者にとってはまた違った意味があった。

第一に、サンタフェの街からさらに車で一時間ほど行った郊外に、原爆開発のマンハッタン計画で

コラム
ヒトゲノム計画

人間の全遺伝情報を解読する「ヒトゲノム計画」は、二〇世紀に誕生した分子生物学の総決算ともいえる国際ビッグプロジェクトだった。考えようによっては、人間を遺伝子に還元する要素還元主義の集大成といえるかもしれない。

ゲノムは、ある生物を形作るのに必要な遺伝情報の一セット分のことをいう。人間の場合なら、細胞に二二対の常染色体と二本の性染色体（女性ならXが二本、男性ならXとY）が入っていて（例外もあります）、ここにすべての遺伝情報が書き込まれている。従って、ヒトのゲノムといえば、二二種類の常染色体と二種類の性染色体を合わせた二四種類の染色体が持つ遺伝情報の総体を指す。

染色体の本体はＤＮＡで、ＤＮＡには核酸塩基の暗号文字（Ａ＝アデニン、Ｔ＝チミン、Ｇ＝グアニン、Ｃ＝シトシン）で遺伝情報が書き込まれている。ヒトゲノムの暗号文字数は全部で三〇億に上る。ヒトゲノム計画のゴールは、ヒトゲノムを構成している遺伝子やＤＮＡの断片を染色体の上に位置決めし、そこに書かれている暗号文字の並びをすべて書き下すことだった。

米国や英国に日本も参加し、国際プロジェクトそのものは二〇〇三年に終了した。ただし、ヒトゲノムの完全解読が達成されたのはそれから二〇年近くたった二〇二二年のことだ。ヒトゲノムには技術的に解読が難しい部分があり、技術開発を重ねてきたためだ。

ヒトゲノム計画のもうひとつの重要な側面は遺伝子解析における「倫理的・法的・社会的課題（ＥＬＳＩ）」がクローズアップされるきっかけになったことだと思う。

知られる米国エネルギー省の三大核研究所のひとつ、ロスアラモス国立研究所が広がっていることだ。朝夕の車のラッシュからは、研究所がこの地域の一大産業であることがうかがえる。

そういえば、オワンクラゲの緑色蛍光たんぱく質の発見で知られるノーベル賞学者の下村脩さんは、二〇一三年四月にこのロスアラモス研究所に招待されて講演した時の感想を何度か語っている。息子の努さんがこの研究所で一時働いていた縁で呼ばれたというが、長崎の諫早で原爆を経験した下村さんにとっては特別な意味があったはずだ。それだけに、研究所の若者たちから原爆についての質問がなかったことに違和感を覚えていたようだ。

実のところ、冷戦後のロスアラモス研究所は軍事研究だけを行なっているわけではない。特に、冷戦終結後は軍事予算が削られ、基礎研究にシフトしてきた。人間の全遺伝情報解明をめざすヒトゲノム計画の拠点のひとつとして遺伝子解析も精力的に進めた。

そしてもうひとつ、この地域で一世を風靡したのがサンタフェ研究所だ。

ゲルマンの不満

私が初めてサンタフェ研究所を訪れたのは、一九九二年の初秋のことだった。

受付で取り次ぎを頼もうとしたときに、舌を出したアインシュタインのポスターの前でウエスタン調のループタイをした白髪の紳士が振り返った。どこかで見たような顔だなと眺めていて、はっと気づいた。

サンタフェ研究所の創設メンバーの一人で、素粒子クォークの提唱者として知られるノーベル物理学賞受賞者、マレイ・ゲルマンその人だった。

こちらの名前を名乗ったとたん「ブルー（青）・フィールド（野）」と、漢字の英語訳が返ってきたのには面食らったが、どうやら多くの人が同じような経験をしているらしい。ゲルマンが言語に造詣が深いのはよく知られた話で、一三ヵ国語を操るといわれていた（すべてを話すわけではない）。話の途中で、突然、お気に入りの小林一茶の俳句が飛び出したときには、その句を知らなかっただけにどぎまぎしてしまった。

ゲルマンが興味を抱いているのはもちろん言語だけではない。「私は子どものころからあらゆることに興味があった」と言う。物理に興味を持ち始めるより前から、生物の進化や文化の進化、種の形成や多様性にも強い関心があった。大学の専攻を決めるときには、考古学か言語学を選ぼうとしたが、「それじゃあ生活していけない」と父親に止められたという。

ここまではごく普通の家庭でもありそうな話だが、そこは天才ゲルマンである。

しぶしぶ進んだ素粒子物理の分野で超一流の業績を上げただけでなく、その間も、あらゆることを知りたい、という幼いころの夢を忘れずに持ち続けた。だが、普通の大学にいる限り夢はかなえられない。

生物学、物理学、数学、経済学、言語学、コンピュータ・サイエンス、考古学。ゲルマンはすべてに興味があるのに、これらの分野の研究者が一堂に会して学際研究をする場が大学にはない。「縦割りはたまらない」というのがゲルマンの大いなる不満だった。

さらにゲルマンは、学問の考え方そのものにも問題を感じていた。学問の体系と同じように、物事を縦割りにしたり、要素に切り刻んだりしていくやり方、すなわち「還元主義（Reductionism）」に対する疑問だった。

その不満を解消するべく設立されたのが、サンタフェ研究所ということになる。

非線形から複雑系へ

サンタフェ研究所は、ゲルマン一人の思い入れで発足したわけではない。きっかけのひとつに、ロスアラモス研究所が以前から手がけてきた「非線形（Non-linear）の科学」があった。

非線形についてはあとでも触れるが、複雑系研究のキーワードのひとつである。むずかしい専門用語に聞こえるが、なんのことはない。線形は1＋1＝2という重ね合わせの原理が成り立つシステムのことだ。別の言い方をすると、インプットに対してアウトプットが比例していれば、そのシステムは線形ということになる。

一方、非線形の系では重ね合わせの原理は成り立たない。いいかえれば、インプットとアウトプットは比例していない。

ニュートンやライプニッツ以来の微積分学は、そのほとんどが線形のシステムを対象とし、世界の成り立ちを解きあかそうとしてきた。その試みはかなりの勝利を収めてきたといえるだろう。だが、やがて、この世界が非線形で複雑なシステムに満ち満ちていることが見逃せないほどになってきた。

例えば、人間の「学習」も、購買行動も、株価の動きも、みんな非線形のシステムである。

ロスアラモスにはこのような非線形の研究を進める部門があり、その中に複雑系の研究グループがあった。ここのシニア・フェローだった化学者ジョージ・コーワンと、マレイ・ゲルマンが意気投合したところから、サンタフェ研究所が誕生したのだ。

新しい宗教？

一九九二年に毎日新聞社が開催した複雑系のシンポジウムには、ゲルマンらサンタフェ研究所のメンバー、物理学者の有馬朗人さん、ノーベル賞科学者の福井謙一さんらが出席した。免疫学者で能に造形の深い多田富雄さんも講演した。

結果的にこのシンポジウムは「玄人受け」をした。それどころか、「むずかしすぎるのではないか」という主催者側の心配をよそに、ごく一般の聴衆からも「おもしろかった」という賛辞が多数寄せられた。

しかし、先見の明がありすぎたのか、複雑系が日本でもてはやされるまでには、それから四年以上の歳月がかかることになる。

しかも、当時の日本の複雑系ブームは特殊で、自然科学として注目されたのではなく、もっぱら経済やビジネスへの応用が注目された。

それから四半世紀、複雑系は特別な注目を集めることはなくなっているというのが現在の印象だ。ただし、その重要性が薄れたわけではない。広く浸透したと考えるのが正解かもしれない。

その表われがこの章の冒頭で述べた二〇二一年のノーベル物理学賞だろう。

コラム

福井謙一先生

日本で四人目のノーベル賞科学者、福井謙一先生に初めてお目にかかったのは一九九二年のことだった。帝国ホテルのラウンジで、複雑系のシンポジウムでの講演をお願いしていたときに、福井先生からこうたずねられた。

「つまり、複雑適応系とはどういうことですか」

にわか勉強で知識を詰め込んだ私は、どぎまぎしながら知っている限りのことを話した。話しながらも「私は本当に的を射た話をしているんだろうか」と不安がよぎった。

話し終わったあとに福井先生が何と答えたか、言葉は正確に覚えていない。だが、その反応を聞いたとたん「なあんだ、先生、よくご存じなんじゃないですか!」と心の中で叫んでしまったことを覚えている。

福井先生自身は「一般化」と「特殊化」について考えていると話した。これまでの科学は複雑な現象の一般化をめざしてきたが、これからは自然の特殊性を追究する「特殊化」が大事だ。そして、特殊性を追究する以上、複雑性を無視することはできないというお話だった。複雑系と重なり合う考えが確認できて、なんとなくほっとした。

その後も、つまらないことで電話をしても、決して嫌な顔ひとつしないで答えていただいた(電話なので顔は見えないが、間違いないと思う)。研究者に対して辛辣な批評の飛び交う新聞記者の間でも、福井先生といえば「人格者」という評が常だった。意識の問題に興味があるかどうかたずねる機会がなかったのが残念だが、複雑系に関心があったことを思えば、おそらく何らかの興味を持っておいでだったのではないだろうか。

複雑系とは何か

サンタフェ研究所に話を戻すと、ここは複雑系の中でも「複雑適応系（Complex Adaptive System）」と呼ばれるシステムに注目していた。ゲルマンがその例としてあげたのは、次のような現象だ。*1

・四〇億年前に地球上に生命を誕生させた生命以前の化学進化。
・突然変異と自然選択によって、地球上に驚くほど多様な生命体を作り出した、生物的な進化。
・生態系における生物の振る舞い。
・哺乳類の免疫系。外敵の侵入に際し、特異的な細胞が選択され、すばやく変異を起こす。
・人間をはじめとする動物の学習と思考。
・文明の進化。
・言語の進化。
・世界経済。
・進化するコンピュータ・プログラム。突然変異と自然選択によって、人間がデザインしたことのない新しい戦略——例えばゲームの戦略——を進化させる。

定義はしない

これだけではわからない、ぜひ「定義」が欲しいと思う人は多いはずだが、サンタフェ研究所の創立メンバーの一人であるデビッド・パインズは当時、「きっちり定義すると深く考えられなくなる」と述べていた。

この辺は「とりあえず、意識とは何かは定義しない」というクリックの姿勢とも重なっている。そうは言っても、どのような性質の系を複雑系と見なすかについて、ある程度の共通認識がいるだろう。例をあげれば次のようなシステムだ。

・全体の振る舞いが部分の単純な総和以上のものであるようなシステム。
・全体の性質が決まらないと、全体を構成する要素の性質も決まらないようなシステム。[*2]
・構成する個々の要素についてどれほど詳しく知ったとしても、そこからは振る舞いが予測できず、構成要素がどのように相互作用し、システムがどのように適応し変化するかを知ることによってしか理解できないもの。[*3]
・細かく分けていっても単純にならないもの。[*4]

うんと簡単に言ってしまえば、多くの要素が複雑に相互作用しあっているので、一つひとつの要素を詳しく見ても、全体がわからないようなシステム、ということになるだろう。

そして、重要なポイントは、この相互作用が「非線形」であることだ。

足し算してもわからない

前にも述べたが、「線形」の系は入力と出力が比例し、入力が二倍になれば出力も二倍になるという重ね合わせの原理が成立しているシステムである。一方「非線形」の系では重ね合わせの原理は成り立たない。直感的に言っても線形のほうが扱いやすそうだということがわかるだろう。

どんなにたくさんの要素が関係しあっていても、要素同士の相互作用が線形なら、一つひとつの要素を詳しく調べて、その性質を足し合わせれば系全体も理解できるはずだ。

ところが非線形の系はそうはいかない。要素同士の相互作用が非線形だと、系全体の性質は要素を足し合わせただけでは決まらない。そこには、それ以上の「何か」が生じる。

いかにも扱いにくそうなシステムだが、世の中には線形よりも非線形の現象のほうがよっぽど多い。生物の進化、受精卵の発生、脳や免疫系の働き、言語の進化、国家や文明の興亡、気候や気象、国際経済、舞い落ちる枯れ葉、アリの社会――、いずれも非線形で複雑な系だ。

コラム

紙とエンピツと頭脳

ノーベル賞科学者にもいろいろなタイプの人がいる。クォークの提唱者であるゲルマン先生には、二回ほどインタビューをさせていただき、いっしょに中華料理の円卓を囲んだこともあるが、そのつどなんだか落ち着かない気分になったものだ。

原因はもちろん、こちらの浅学非才にある。「こんなこと聞いて、科学記者のくせにトンチンカンな奴だと思っているんだろうな」と思うたびに、卑屈な気分になるのが止められないのだ。

だが、こちらの無学さを置いておくとしても、ゲルマンには「自分以外の人がすべて阿呆に見えてしまう天才」といった雰囲気が張りついていた。そして、本当にそうであっても仕方ないくらいの天才であることは間違いないらしい。

もう一人の天才物理学者で、ゲルマンと同時期にカリフォルニア工科大学にいたリチャード・ファインマンには残念ながらお目にかかる機会がなかったが、ジョーク好きのファインマンとなら、「ハーイ、リック」と気軽に話ができたのではないかと思う(嫌がられたかもしれないが)。

ワールドロップのCOMPLEXITY(邦訳『複雑系』)には、ファインマンの名エッセイ『ご冗談でしょう、ファインマンさん』をもじって、もしゲルマンが同じようなエッセイを書くとすれば『またもご明察、マレイさん』というタイトルだろうという話が出てくるが、言い得て妙と笑ってしまった。

ちなみに私が聞いた馬鹿な質問は「あなたもコンピュータを使って研究してるんですか?」

ゲルマンの答えは「いや、紙と鉛筆と頭だよ」だった。

ゲルマンによれば、最も代表的な複雑系は人間だ。

人間は臓器や器官でできている。臓器や器官はたくさんの細胞でできている。細胞の中にはＤＮＡが入っている。ここからたんぱく質が作り出される。たんぱく質やＤＮＡは分子でできている。分子は原子でできている。原子は素粒子でできている――というように、たくさんの構成要素で成り立っている。また、臓器にせよ細胞にせよ、構成要素同士が相互作用している。

だからといって、素粒子を解明して、その性質を足し合わせても人間はわからない。社会を構成する一人ひとりの人間を詳しく調べても、社会の性質や動きはわからない。

逆に、どのような社会で生活しているかによって、人間の性質や行動はある程度規定される。細胞や臓器の働き方も、その人の振る舞いや環境に影響を受けるだろう。

こうしてみると、確かに人間は「多くの要素が非線形的に相互作用しあっていて、一つひとつの要素を詳しく見ても、全体がわからないようなシステム」であることは間違いない。

新しい性質が創発する

複雑系のもうひとつのキーワードに、「創発（Emergence）」がある。といっても、複雑系独自の用語ではない。もとをただせば進化論や社会学などで用いられる概念で、そこに至るまでの事象から

コラム
暗黙知と複雑系

複雑系について調べるうちに、二〇世紀に登場した科学思想の多くが、複雑系と重なっていることに気づいた。例えばブダペスト生まれの科学哲学者、マイケル・ポランニーが唱えた「暗黙知(Tacit knowledge)」もそのひとつだ。彼の『暗黙知の次元　言語から非言語へ』を読むと、複雑系との共通項が次々と出てくるのでびっくりする。

ポランニーは人間の知識について、「我々は語ることができるより多くのことを知ることができる」と述べている。いいかえれば、言語化できる以上のこと、意識の上で知っている以上のことを人間は知っている。これが暗黙知だ。

その例としてポランニーは「我々は特定の人の顔を、他の人の顔と区別できるが、なぜ区別できるのかは説明できない」という事象をあげる。これは人間の脳の働きを示したものだが、考えてみると複雑系である免疫系や神経系の働きも暗黙知を備えている。

ポランニーは、複雑系を理解するのも暗黙知だと示唆する、次のような言葉も述べている[*5]。

「際限なく明晰さをもとめることは、我々が複雑な対象を理解することにたいして妨げになる」「包括的存在の諸細目をこまかにしらべるならば、意味は消失し、包括的存在の観念は破壊される」「一匹のカエルという包括的存在を構成している諸関係を形式化することができるためには、このカエルという存在がまず、暗黙知によって非形式的に認知されていなければならない」

これはまさに、近代科学の要素還元主義への批判であり、暗黙知の思想が複雑性の思想とパラレルであることがわかる。

は予測したり説明したりできないまったく新しい事態や特性が発生する現象を示す。

例えば、物質の化学変化をへて生命が誕生した過程や、人間に意識が発生した過程などを思い浮かべると直感的に理解できるのではないだろうか。どちらも、徐々に坂道を上るというよりも、階段を一段上るように出現した。つまり、それまでの積み重ねを1＋1＝2というように足し合わせただけでは説明のつかない飛躍が起きたに違いない。

還元主義礼賛とアンチ還元主義

サンタフェ研究所のマレイ・ゲルマンに代表されるように、複雑系には物理学者の参入が多い。物理学は本来、要素還元主義を方法論として採用してきた学問だ。

この世のすべてを要素に還元していって、基本的な素粒子と基本的な力によってこの世界を記述しようというのが物理学のめざすところだ。すべての科学は物理学に還元されるという「物理帝国主義」も標榜してきた。

一方、複雑系は「アンチ還元主義」といってもいい。

ではなぜ、これまで還元主義の権化と見なされてきた物理学者が複雑系に走るのか。

単純に考えれば、還元主義の世界にどっぷり浸かってきたからこそ、きっとその限界も見えやすかったのだ。そして、複雑系は、その行き詰まりを打破できるかもしれない、という期待に応えてくれそうな理論だったということだろう。

アモルファスが専門の物理学者、米沢富美子博士も共著者『ランダムな世界を究める』の中で、物理学の世界で新しい概念を生む可能性のある大きなテーマとしてコンプレックス・システムズ（複雑

コラム

散逸する複雑系

複雑なシステムの研究に取り組むグループは、サンタフェ・ファミリーだけではなかった。「散逸構造理論」で知られるイリヤ・プリゴジンも見逃せない。

プリゴジンは一九八九年に『複雑性の探究』を同僚と共著で著わし、真正面から複雑性にタックルしようとした。

根本的な問題意識はそっくりに思えるのに、実はサンタフェ・グループとプリゴジンは、互いの考えを批判しあっているとのうわさがあった。真偽のほどはわからないし、まして、彼らの主張がどれほど本質的に異なるのか、はたから見てもよくわからない。しかし、反目しあっているという話が出るくらいだから、どちらも互いに意識せずにはいられない存在だったのだろう。

プリゴジンは「散逸構造」の理論でノーベル賞を受賞している。散逸という言葉がわかりにくいが、簡単に言えば、散逸系とはエネルギーの出入りがある不可逆なシステムのことである。

散逸系に対比させられるのが保存系だと考えるとわかりやすいかもしれない。全体としてエネル

ギー保存の法則や運動量保存の法則が成り立つようなシステムは保存系である。そして、このような系は構成要素同士が相互作用していても、外界とはエネルギーの出入りがない。ニュートンの古典力学で表わされる世界はこのような保存系だった。

一方、散逸系はエネルギーの出入りがあるので、エネルギーも運動量も保存されていない。このようなシステムは、環境から伝えられたエネルギーの一部を「散逸構造」という秩序立った振る舞いに変換させる、というのが彼の発見である。

散逸というと、エネルギーが失われていってシステムがどんどん弱っていくような印象があるが、そうではない。そのことは、我々生物が、常にエネルギーを出し入れしている散逸系であることを考えれば、当然といえるだろう。

プリゴジンの散逸構造の理論は生物だけにあてはまるわけではない。

プリゴジンは『複雑性の探究』の中で「複雑性の観念はもはや生物学だけに限られるものではなく、物理科学にも侵入しつつあり、自然法則に深く根ざしているように思われる」[*6]と述べている。

その証拠としてあげられているのが自己組織化現象である。

プリゴジンは複雑系のキーワードである自己組織化現象が、流体力学の対象である熱対流や、化学の対象である化学反応、地質学の対象である堆積物、そして生物や人間社会においても見られると述べている。

むしろ「生命は非生命に深く根ざしている」というのが彼の主張のようだ。

プリゴジンは芸術にも大きな関心を寄せていたらしい。サンタフェ・ファミリーの大御所であるゲルマンもまた、芸術と複雑系の関係に興味を示している。プリゴジンは学生時代に、歴史や心理学に興味があったというが、これもまた、すべての分野に興味があったというゲルマンの話を彷彿とさせる複雑系学者の共通項だ。

コラム

東洋思想への傾倒

複雑系について調べるうちに、「これって、ニューエイジ・サイエンスとどう違うの?」という疑問が湧いたことがある。還元主義への批判も、システムを全体として捉えるという考え方も、なんだかそっくりだ。

一九七〇年代から八〇年代にかけて盛り上がりを見せたニューエイジ・サイエンス(またはニューサイエンス)については、実のところよく知らなかった。意識研究と同じで、あまり近寄ってはいけないような気がしていたからだ。

複雑系を考える過程で、初めてフリチョフ・カプラやエーリッヒ・ヤンツの著作をめくってみた。おおざっぱな感想を言えば、複雑系もニューエイジ・サイエンスも、基本的な問題意識はいっしょ。問題解決の方法論として掲げるものが違う、といったところだろうか。

ニューエイジ・サイエンスのほうは解決策を東洋思想に求める。複雑系はコンピュータに求める(そうでない人もいるが)。

意識研究にもニューエイジ・サイエンスはしばしば顔を出す。ジョセフソンのように超心理学まで対象とする人々は、ニューエイジ系と言っていいだろう。

自分が東洋人であるためか、東洋思想に解を求めるという考えがもうひとつピンとこない。問題解決の道が瞑想だなどと言われると、「まさか」と思ってしまうが、近代科学の行き詰まりを打破したいという点では、ニューエイジ・サイエンスも複雑系も意識研究も、向いている方向は同じなのかもしれない。

系）の問題がある、と述べていた。

物理学の歴史はずっと要素論できたが、それでは済まない問題が出てきたと認め、その例として生命現象や生物をあげている。

ただし、そう言いながらも「生き物も最終的には物理学の土俵で扱える[*7]」との考えを吐露していたのは、いかにも物理屋さんらしい。

第三の方法論

複雑系の科学が対象とする複雑なシステムが、この世に満ちあふれていることは十分納得できる。もしかしたら、複雑系以外のシステムを探すほうが大変かもしれない。

複雑系の特徴である「創発」という概念も、直感的にはよく理解できる。だが、それはあくまで概念である。「創発」以外にも、「自己組織化」や「カオスの縁（ふち）」など、複雑系を特徴づける概念はいくつも提案されてきた。これらもまた、直感的には理解できるが、どのように科学するのか、という点がどうも腑に落ちない。

複雑なものを要素に分けずに研究するための、複雑系科学の方法論とは何か。「複雑な現象を、複雑なままに分析する」といった言い方もされるが、ひとつの方法は「分析」するのではなく、「構成」

することらしい。

つまり、生命を理解するために生物を細かく分析していくのではなく、生命を理解するために生物を作ってしまう。進化を理解するために進化を再現してしまう、という考えだ。

もちろん、本物の生物を人為的に作るわけにはいかないし、本物の進化を再現してみせろといっても無理な話だ。

そこで登場するのがコンピュータだ。

確かに、複雑系研究の具体的道具として使われてきたのはコンピュータだろう。

だが本当に、コンピュータが複雑なシステムにアプローチできる、唯一で最善の方法論なのだろうか。

人工生命は生命か

あらゆるタイプの複雑系を調べるのに、最も有力な方法論がコンピュータ・シミュレーションだとするなら、意識研究もコンピュータ・シミュレーションでできるということになるだろう。これは、4章で紹介したペンローズの分類で言えば、AとBの立場につながる。

ただし、ここで注意しなくてはならないのは、AとBの違いだ。つまり「意識はコンピュータでシミュレートできる」ということと、「コンピュータは意識を持つ」ということは、似て非なるものだということだ。

複雑系研究の手段としてのコンピュータ・シミュレーションはどちらだろうか。例えば、人工生命について考えてみる。

人工生命は複雑系研究を先導する役割を担った。簡単に言えば、コンピュータの中にデジタル生命を作り出すことによって、生命とは何かを探る手法だ。

その成功例として一九九〇年代初期に世界的に有名になったのは、「ティエラ」と呼ばれるコンピュータの中の仮想生態系だった。デラウェア大学の進化生物学者だったトマス・レイが作り出したバーチャル地球のようなもので、「ティエラ」はスペイン語で地球を表わしている。

フィールドワーカーとして熱帯雨林で自然観察に明け暮れていたレイは、自然の進化のスピードが自分の一生に比べてあまりにゆっくりしていることにフラストレーションを感じる。そこで思い浮かんだのが、ある人工知能研究者が述べた「自己複製するプログラムを書くのなんて簡単さ」というひと言だった。

レイは一からコンピュータの扱い方を習い、あっという間に人工生命研究のヒーローとなった。彼がコンピュータの中に作り出した「ティエラ」は、気の遠くなるほど長い時間をかけて起きる地球上の生物の進化を、またたく間に再現してみせたのだ。

ちょっとした生命の基本原理をプログラムに与えて増殖させただけで、「寄生生物」や「免疫生物」などが誕生した。まるでミニチュアの地球のようだった。

さらに、カール・シムズによって開発された「人工進化」では、三次元ブロックで構成されるコンピュータの中の仮想生物が、ある条件を与えると、泳ぐ、歩く、追いかけるといった行動を進化させた。

確かに「ティエラ」や「人工進化」の裏には、当時のコンピュータのシミュレーション能力の勝利があった。コンピュータの能力をもってして初めて、限られた寿命を持つ人間には決して見ることのできなかった進化世界が、その扉をほんの少しだけ開いて見せてくれたことになる。

しかし、「ティエラ」や「人工進化」の中のデジタル生物が、本物の生物と同じかといえば、誰もそうは思わないはずだ。

では、デジタル生物がもっと進化し、肉体を持って、本物の生物とまったく同じように振る舞うようになったとしたらどうだろうか。そしてデジタル生物があたかも意識を持つように振る舞ったら？

ここで、「人工知能は当然、意識を持つ」と考える「強いＡＩ」にオーバーラップする「強い人工生命」という立場があることが見えてくる。実際、人によっては人工生命を「強い人工生命」と「弱

コラム

理論屋と実験屋

私が親しんできた科学に限って言えば、物理学と生命を扱う生物学はかなり様子の違う学問だ。例えば、物理学では理論屋が幅を利かせているが、生物学の世界ではほとんどが実験屋である。理論生物学者にはめったにお目にかからない。

生物学はデータを出してなんぼの世界で、データを出すためには実験が欠かせない。それを表わす次のような小話を、分子生物学者のフランソワ・ジャコブが紹介しているのを聞いたことがある。

あるとき、分子生物学者と弁護士と銀行家が、酒を飲みながら話していた。

銀行家が「私には愛人がいるが、妻には内緒だ。わかったら離婚させられるからね」と言うと、弁護士は「愛人には結婚しているのは内緒だ。わかったら離婚させられるから」と答えた。

すると分子生物学者がこう答えた。

「私は妻には愛人がいることを言ってあるし、愛人には妻がいることを伝えてある。お互いに相手のところに行っていると思わせておけば、研究所で遅くまで実験ができるからね」

もちろん、実験系の人々が長時間ラボで研究をするのは日本も同じだ。それに比べると、理論物理は紙とペンさえあればどこでもできる。彼らが行なう「実験」は思考実験であって、生の実験ではない。

コンピュータを道具とする複雑系に理論屋さんが向かうのは無理からぬことのような気がする。

い人工生命」に分けて考えている。

「強い人工生命」の立場をとる人は、コンピュータの中に作り出した人工生命は、実際の生命の特徴を再現している限り、本物の生命だと考える。「弱い人工生命」の立場の人は、あくまでシミュレーションはシミュレーションだと考える。

まさに、意識研究にとっての強いＡＩと弱いＡＩに相当する考え方の違いが、人工生命の研究にもそっくりそのまま存在していることがわかる。

意識は複雑だ

このように複雑系を概観してみると、ノーベル賞科学者が多数参入している以外にも、意識研究と重なり合う部分が見えてくる。複雑系と意識研究の共通項を簡単に整理してみるとこんな感じになる。

まず、どちらも通常科学の範疇に入るかどうか、境界線上にある。また、どちらにも思想や哲学が反映している。

還元主義の延長線上で解けるかどうかも、共通の焦点だ。複雑系は出発点が還元主義への疑問だが、還元主義には複雑なシステムを解く潜在能力があると考えている人もいるようだ。

超学際的な研究を必要としているのも共通している。

対象としているシステムの特徴が、非線形であるという点や、創発を特徴としている点も同じだ。

さらに、コンピュータが果たす役割が、どちらの分野でもクローズアップされている。複雑系はそもそもコンピュータが主要な研究手段だし、意識研究でもコンピュータに意識を持たせられるかどうかが論点となってきた。

考えてみれば、脳が最も複雑なシステムで、意識は脳の働きと関係していると考えるなら、複雑系研究と意識研究が関係しているのはあたりまえのことで、両方に関心を示す人はけっこう多い。

例えば、物理学者のポール・デイヴィスが書いた『宇宙に隣人はいるのか』という本は、タイトルだけ見るとお決まりのETの話のようだが、読んでみると「複雑系と生命」「複雑系と意識」について書かれているとしか考えられない。

数理物理学者であるアーウィン・スコットの著書『心の階梯』も、内容や着眼点は異なるが、複雑系と意識や心の話だ。


私の頭の中でも、複雑系と意識研究が結びついた瞬間があったが、それは「創発」現象について考えたときのことだった。

前にも述べたように、創発はたくさんの要素が集まって相互作用することによって、一つひとつの要素にはない性質が生まれてくる現象のことだ。

水の分子は濡れていないのに、それが集まった水をこぼすとテーブルが濡れる。遺伝子や細胞は物質でできているのに、それが集まって相互作用すると生命が生まれる。同じように、脳の神経細胞の一つひとつに意識は宿っていないのに、それが集まると意識を創発する、という考え方は簡単に思い浮かぶ。

確かに、創発現象に納得のいく科学的な説明ができるようになれば、意識の科学的な解明にも近づくと思える。いまだに解けない生命の起源の謎についても、同じように重要な手がかりを与えるはずだ。

◇　◇　◇

ここまでは四半世紀前に考えたことだが、意外なことに「創発現象」と「意識」の関係については、フランシス・クリックとタッグを組んで意識研究を牽引していたクリストフ・コッホが疑問を呈するようになっている。

3章で述べたように、以前は「意識は複雑な神経ネットワークから創発的に生まれてくる」という考えを支持していたが、その考えには納得できなくなったと著書『意識をめぐる冒険』で述べている。

実のところ「意識は神経ネットワークから創発する」という考えは概念としてはわかりやすい。個人的には納得しやすいと思ってきた。一つひとつの神経細胞にはない性質が、複雑にネットワーク化されたところに立ち現われたのが意識だといわれると、そうだろうなという気がする。

一方で、そう言ったからといって意識の謎が解けるわけではない、というのも事実だろう。コッホが疑問を抱くようになったのもわかる（気がする）。

ただ、複雑系の創発現象そのものの重要性は変わっていないはずだ。

さらに、最近のＡＩと意識の問題を考えるにあたっても、創発現象は考慮する価値がある。

4章で述べたように、細胞数が増し、複雑性を増した生物に意識が生じたように、扱うデータや計算量が膨大になり、複雑性を増すＡＩに、ある日、「機械としての意識（と呼べるようなもの）が創発した」という主張が出てくる可能性は大いにあると思うからだ。

意識を研究対象とする神経科学者のセスさんも、最近、取り組んでいる研究テーマのひとつが創発現象だと話していた。

「魔法の言葉」でないとしても、意識研究のキーワードのひとつとして今後も生き続けるはずだ。

引用・参考文献

＊1――Murray Gell-Mann, The Santa Fe Institute, Talk given January 9, 1990
＊2――金子邦彦氏に取材
＊3――The Santa Fe Institute: A General Overview
＊4――西山賢一『免疫ネットワークの時代　複雑系で読む現代』ＮＨＫブックス　一九九五年
＊5――マイケル・ポラニー『暗黙知の次元　言語から非言語へ』佐藤敬三訳　紀伊國屋書店　一九八〇年
＊6――Ｇ・ニコリス＋Ｉ・プリゴジン『複雑性の探究』安孫子誠也・北原和夫訳　みすず書房　一九九三年
＊7――米沢富美子・立花隆『ランダムな世界を究める　物質と生命をつなぐ新物理学』三田出版会　一九九一年

6章 ノーベル賞科学者が意識研究に走るわけ

「クリック博士は休暇中です。帰ってくるまで、とりあえず博士の著書"What Mad Pursuit"を読んでいてはいかが?」

フランシス・クリックにあてて送ったファックスに、彼のアシスタントからこんな返事が返ってきたのは、一九九八年七月の終わりのことだった。

今にして思えば、ファックスとはなんとも古めかしい手段だが、当時を思い返すとクリック博士のメールアドレスがわからなかったのだと思う。

ファックスには「分子生物学者の博士が、なぜ意識や心の研究にシフトしたのかを教えて欲しい」という質問が書いてあった。

ノーベル賞クラスの科学者は、なぜ意識の問題に引きつけられるのか。

いっそのこと本人に聞いてみようと思い立ってクリックにファックスを送り、続けて同じ内容の質問をエーデルマンやペンローズらにも送ってみた。エックルス卿やスペリー、シュレディンガーにもぜひ聞いてみたかったが、さすがにそれは無理な相談というものだ。

存命中の人々からも直接的な回答はあまり得られなかったが、彼らの言葉や研究内容を追っていくうちに、ぼんやりと浮かんできたものがある。

ノーベル賞科学者を筆頭に正統派科学者が意識問題に走るのはなぜなのか。ここでは、いくつかのカテゴリーに分類しながら考えた「その理由」を紹介する。

もともと意識を研究したかった

クリックのアシスタントが勧めてくれた"What Mad Pursuit"は一九八八年に出版されている。DNAの二重らせん構造の発見について書かれたもので、『熱き探究の日々　DNA二重らせん発見者の記録』というタイトルで日本語訳も出ている。前に一度、大手書店に注文したものの、「版元にない」という返事が返ってきてがっかりした本だった。

仕方がないとあきらめていたある日、棚卸しをしたばかりの書店の棚にこの本を見つけた。「おお、これぞ神の思し召し」とつぶやいてすぐに購入し、クリックのどんな秘話が書かれているのか、期待に胸を膨らませてページをめくった。
その結果、明らかになったのは次のようなことだった。

クリックは大学で物理学の学位を取ったが、教授から与えられた好きでもないテーマの研究を始めてまもなく、第二次世界大戦が勃発した。戦争が終わってみると、クリックは二九歳で、発表論文もなく、博士号も持っていなかった。

いったい、何を自分の一生のテーマに選ぶべきなのか。考えあぐねていたときに「ゴシップ・テスト」という方法を思いついた。人間は心底興味を持ったもののうわさ話をする。だとすれば、自分が何のうわさ話をよくしているかを考え、それを専門にすればいい。

この方法を早々に応用してみた結果、自分の興味が「生物と無生物の間」と「脳の仕組み」の二つの分野にあることがわかった。二つの分野のうち、前者のほうがそれまでの科学知識を役立てられそうだった。

そうやって選択したのが生物を物理学的に考える分野、すなわち今でいう分子生物学で、科学者として第一線で活躍できる間は同じテーマを追究するつもりだった。ところが、一九五三年にＤＮＡの二重らせん構造を発見し、気がついてみると当初の計画はほとんど達成してしまった。
その後、遺伝暗号の解読方法やＤＮＡの突然変異、たんぱく質の生合成などの解明にも貢献したが、一九六六年になって「新しい分野に進む時にきた」と考えた。そして、一九七六年にカリフォルニアのソーク研究所に移ったのを機に、当初考えたもうひとつのテーマ、すなわち「脳」に研究分野を変えることにしたのだ。

「一九四七年に生物学の研究を始めた時には、私が興味を持った課題——遺伝子は何からできているのか、それはどのように複製するのか、その発現はどのように調節されるのか、何をするのか——がすべて私の科学者生活が終る前に解けてしまうなどとは考えもしなかった」[*1]とクリックは書いている。二つのテーマのひとつが思いがけず早々と解けてしまったので、残ったほうのテーマをやっつけることにした、といったところだろうか。

そうしてみるとクリックは別にテーマを変更したわけではない。とりあえず脇においておいたテーマに戻っただけのことなのだ。

意識や心の解明が、もともと追い求めていたテーマだというノーベル賞科学者はほかにもいる。若いころから哲学に傾倒していたシュレディンガーもある意味ではそうだったと言えるだろう。さらにはっきりしているのは、ジョン・エックルス卿だ。彼は、自分が信じる二元論的な世界観を証明するために、脳の研究を始めたと言ってもいい。

だとすれば、社会に適応した形で第一級の成果を上げた人々が、晩年に子どものころの純粋な疑問に立ち返ったとしても、それを単なる懐古趣味や老後の楽しみとみるのは間違いということになる。

むしろ、人間とは何か、意識とは何かといった問いかけを常に抱えていたからこそ、ノーベル賞を受賞するような科学的な成果が上げられたという解釈のほうがあたっているのではないだろうか。

むずかしいほど血が騒ぐ

もちろん、もともと意識の問題を出発点としていた人ばかりではない。その場合に考えられる最も簡単な理由は次のようなことだ。

ノーベル賞学者は特定の分野で功成り名遂げたのだから、あとは何をしてもOKだ。しかし、元の分野をそれ以上追究しても、ノーベル賞の対象となった研究を上回るおもしろい成果が出るとは思えない。後進の若手研究者にとって煙たい存在になるのも嫌だ。かといって、引退してしまうわけにもいかない。

それなら、科学の最もむずかしい問題の解決に自分の天才的な頭脳を生かそう、と思ったところでなんら不思議はない。

二〇世紀の終わりにみる二一世紀に残された科学の課題は、「生命の起源」「宇宙の起源と運命」「脳の働き」といったところだっただろう。その中でも、意識や心の問題は難問中の難問である。なにしろ、解明しようとしている主体と解明される対象がオーバーラップしているのだからむずかしい。むずかしいからこそ、知的なゲームとしては最高だ。ノーベル賞学者が興味を抱かないはずはない。言い方は悪いが、知力があり余る人の「老後の楽しみ」としてこれ以上のものはないはずだ。

こんなふうに言うと、とんでもないと怒る人がいるかもしれない。確かにエーデルマンやジョセフソンのように、とても老後とは言えない年齢で意識研究に転向した人もいる。

だが、もし彼らが初めから意識の研究をテーマに研究者人生をスタートしていたら、意識についての考察や研究を好きなようにできる立場を獲得できただろうか。それはちょっと、ありそうもない。

ノーベル賞をとったから、リスクを冒してもいい

ソーク研究所の永久基金講座に職を持っていたクリックは、「サイエンティフィック・アメリカン」のジョン・ホーガンが世界の科学者のインタビューを基に書いた'The end of science'（邦訳『科学の終焉』）の中で、私はグラントをもらう必要がないんだ、と言い、意識について思う存分考えられることにご満悦の様子だった。

グラント、すなわち研究助成金は、現代の科学者にとってはなくてはならないもののひとつだ。な

ぜなら、所属する研究機関が一律に割り当てる通常の予算だけでは、めざす研究を行なうことはむずかしく、研究者は個人的に助成金を取ってくる仕組みになっているからだ。

米国の場合、医学関係の研究助成金はメリーランド州ベセスダにあるＮＩＨ（米国立衛生研究所）が握っている。グラント申請の時期になると研究者は申請書を書き上げるためにいつにも増して忙しくなる。

日本でも事情は同じで、文部科学省が大学の研究者に拠出する科学研究費補助金（いわゆる科研費）や、厚生労働省が出す科研費などを取るために、研究者はけっこうな労力を使っている。

このような研究助成金をどれだけ取ってこられるか。それがある意味では研究者が「どれだけ認められているか」の目安とも受け取られる。もちろん、実質的にもそれなりの研究費がなければ、どんなにいいアイデアを持っていたとしても、成果を上げることはむずかしい。

では、アイデアさえよければ研究費はどんどん入ってくるかといえば、そこまで世の中甘くない。やはり、過去の業績や、研究計画の実現性が関係してくる。

日本の場合はそれ以上に、その分野の「親分格」のところにばかり研究費が分配されることや、政府による行きすぎた「選択と集中」が新しいブレークスルーを阻んできたことが批判されてきた。

グラントには流行もある。例えば、ｉＰＳ研究が注目されるようになると一斉にこの分野に助成金が流れるようになる。今度はゲノム編集だといえばそちらに流れる。それに応じて研究者の研究もシフトしていく。

いずれにしてもグラントは、多少なりとも実証できる可能性のある研究、そして時流に乗った研究にしか流れないと言ってもいいかもしれない。それで業績が上がらなければ次からは研究費がもらえない恐れもある。

だからこそ、一定の研究費が保証されているクリックのような人間でない限り、勝算があるかどうかまったくわからない意識研究に、本気で取り組むことはむずかしかった。

クリックは当時、科学雑誌のインタビューに答えて、「意識研究のための研究費を手にしている科学者を知らない」とさえ述べていた（ただし、この事実は、四半世紀をへて変わってきている。4章のコラム「意識研究の二五年」参照）。


もちろん、日本に比べれば米国はリスクのある研究に大きなお金を拠出する国ではある。それにもかかわらずノーベル賞受賞者になって初めて意識研究が自由にできるということは、意識の研究がいかに二〇世紀の正統派科学にとってタブーだったかの証しと言ってもいい。

だからこそ、彼らは安全圏に身を置いたとたんに、リスキーで魅力的な難問に挑戦しようとしたのではないだろうか。

単純な還元主義では解けないものへの挑戦

確かに、意識の問題は従来科学で解けるかどうかわからないほどの難問である。そしてこの場合の従来科学とは、主に要素還元主義を指していると考えていい。

前にも述べたように、二〇世紀に科学を大発展させたのは要素還元主義だった。それはノーベル賞の歴史からも明らかだ。

物理や物質の科学における還元主義が行きついた先が素粒子で、これはノーベル賞における重要な分野である。

生命科学における還元主義が行きついた先は遺伝子で、これも二〇世紀最大の発見のひとつとなった。

これまでのところ還元主義はかなりの成功を収めてきた。

それを認めた上で、要素還元主義や機械論的自然観に、ある種の限界を感じ始めたのが二〇世紀から二一世紀への変わり目だったのではないだろうか。

還元主義、それ自体が悪いわけではない。

問題なのは、世界を構成する森羅万象をすべて要素に還元し、再びそれを組み立てることによって元の世界が理解できる、という単純な還元主義の思い込みだ。

人間を要素にして分解していくと、臓器や組織をへて原子や素粒子へとたどりつく。素粒子の研究は確かにこの宇宙の成り立ちを解きあかすために役に立つだろう。しかし、原子や素粒子の性質がわかったからといって、人間そのものがわかるとは思えない。

生命の設計図といわれる遺伝子にしても同じである。人間の全遺伝情報を解明するヒトゲノム計画はDNAに書き込まれた三〇億塩基対の暗号文字を解読した。確かにここからは非常に多くのことがわかってきた。

だが、それでもまだ、人間そのものはわからない。生命とは何かも、当然、意識とは何かもわからない。

チンパンジーと人間のゲノムの違いは、わずか一パーセント程度だということが知られている。両方の遺伝子を比較すれば、どの部分が違うかはわかる。

しかし、なぜ人間が人間で、チンパンジーではないのか。その秘密が遺伝子の違いだけで明らかになるとは思えない。

磁性体と無秩序系の電子構造の理論的研究でノーベル物理学賞を受賞したフィリップ・アンダーソンは、“More is Different”と題して一九七二年のサイエンス誌に発表したエッセイでこのテーマを取り上げた。

何と訳したらいいのかむずかしいが、「量や数が増えると、性質が変わる」といったところだろうか。「多は異なり」などと訳されることもある。

素粒子物理にしても、それ以外のどのような還元主義的アプローチにしても、世界を説明することはできない。現実の世界には階層構造があって、それぞれの階層はその上の階層や下の階層からある程度独立していると考える。「それぞれの階層で、まったく新しい法則や概念、一般化が必要になる」とアンダーソンは述べている。

このエッセイはカオスや複雑系ムーブメントの火つけ役になったといわれ、さまざまなところで引用されている。

アンダーソンは還元主義の権化である物理学陣営に属していながら、還元主義に疑問を抱くようになった。

そして意識問題に走るノーベル賞学者もまた、多かれ少なかれ還元主義批判を意識している。

スペリーは「私がエックルスとまさに一致している点は、唯物主義（あるいは物理主義）と還元主義を共に拒否していること*2」と言い、エックルスは「神経科学者はこの極端な還元主義は不条理であることを知るべきである*3」と徹底的唯物論を批判する。

表だっては還元主義を擁護しているクリックでさえも、「たとえ脳のある部品の正確な機能が報告されたとしても、それを説明するには未知の新しい概念や考え方が必要であるため、なかなか理解されないこともあるだろう」[4]と、単純な還元主義を牽制していた。

エーデルマンもまた、「物理学、化学、分子生物学で還元主義が成功したとしても、心の問題もそれがすべてと考えるときに愚かな還元主義となる」[5]と述べている。

還元主義への批判が意識研究に走らせたというのは言いすぎだとしても、還元主義では解けないかもしれないからこそ、意識の謎に心引かれたということもあるのではないだろうか。

何にでも興味がある

還元主義的な世界観は、自然科学の研究システムにも影を落としている。物事を還元していくのに応じて研究の対象がどんどん細分化され、それにつれて研究分野も細かく分かれていった。そのために、全体像は霧の中に隠れてしまい、見通すことが非常にむずかしくなってしまったからだ。

この現状に不満を感じたノーベル賞科学者はたくさんいる。

前にも述べたようにクォーク理論のマレイ・ゲルマンは、素粒子物理学だけでなくあらゆる分野に興味があったために、複雑系の研究に走ったと話す。「ひとつの分野しか研究できないのは我慢ならない」というのが、この天才物理学者の主張だった。

「あらゆる分野に興味がある」という言い回しには、ほかのノーベル賞学者の言葉の中でも出会った。波動力学のシュレディンガーは青年のころ、古典文学、言語、哲学、宗教、生物学、数学などさまざまな分野に興味を持っていたという。まるで、ゲルマンと同じだ。プリゴジンも歴史や心理学に興味があったという。

ノーベル生理学・医学賞の受賞者であるアレキシス・カレルは、人間についての細分化された知識を統合し、人間を全体として理解することを試みた。解剖学、化学、生理学、心理学、教育学、歴史学、社会学、経済学は人間を研究し尽くしていないので、これを全部寄せ集めても具体的な人間からはほど遠いと言う。

肝臓の細胞の研究でノーベル生理学・医学賞を受賞したクリスチャン・ド・デューブもまた、著書『生命の塵』の中で、科学研究の現場が精神の世界を狭めていく傾向があると言い、専門化が進むことによって視野が狭くなると指摘している。

この世の何にでも興味を持ち、考察の対象とすること。それは、科学が哲学の一部であった時代には当然のことだったろう。しかし、現代の自然科学を概観すると、それはあまりにも細分化されている。同じ学会の中でも、研究対象が違うと研究の中身がよくわからないという言葉を、いったい何人の科学者から聞いたことだろうか。

まして、大本の分野が異なれば、相互理解は非常にむずかしい。自然科学者と社会科学者の間では、なおさらだ。

学問の縦割りの弊害、境界領域の重要性は指摘されてからずいぶん時がたつ。しかし、日々の研究と論文書きに追われる若手研究者にしてみれば、「わかっちゃいるけど、余裕がない」ということだろう。

だが、それでは意識のような複雑な問題を本当に解くことはできないのではないだろうか。

そう考えていたら、シュレディンガーの次のような言葉を見つけた。少し長いが引用する。

「われわれは、すべてのものを包括する統一的な知識を求めようとする熱望を、先祖代々承け継いできました。（中略）しかし、過ぐる百年余の間に、学問の多種多様の分枝は、その広さにおいても、またその深さにおいてもますます広がり、われわれは奇妙な矛盾に直面するに至りました。われわれは、今までに知られてきたことの総和を結び合せて一つの全一的なものにするに足りる信頼できる素材が、今ようやく獲得されはじめたばかりであることを、はっきりと感じます。ところが一方では、ただ一人の人間の頭脳が、学問全体の中の一つの小さな専門領域以上のものを十分に支配することは、ほとんど不可能に近くなってしまったのです。

この矛盾を切り抜けるには（中略）、われわれの中の誰かが、諸々の事実や理論を総合する仕事に思いきって手を着けるより他には道がないと思います。たとえその事実や理論の若干については、又聞きで不完全にしか知らなくとも、また物笑いの種になる危険を冒しても、そうするより他には道がないと思うのです[*6]」

こう決心してシュレディンガーが書いた『生命とは何か』は、多くの科学者に感銘を与えた。しかも、二〇世紀の科学を象徴する分子生物学を誕生させるという、実際的な役割を果たした。だとすれば、同じような決心でノーベル賞科学者たちが意識の問題に手をつけることが、二一世紀の新しい科学の開花に結びつくことだってあるはずだ。

還元主義を自認するフランシス・クリックが行なっていたことも、結局のところ同じことだと私には思える。彼は自分で意識の実験に手を染めるわけではなく、意識研究全体を俯瞰して、理論を提唱していた。

そうすることによって、実験研究者に指針を与えたのだ。

ここで、もっとも身も蓋もない理由をあげておくことにする。「流行」である。

四半世紀前、ブライアン・ジョセフソンに意識研究への転向の理由をたずねたとき、あわせて多くのノーベル賞科学者が意識研究に走る理由についても聞いてみた。彼の答えは「ある種の流行にすぎない」だった。

これはコッホが言った「意識研究インフルエンザ説」とも通じる。

欧米でも日本でも、脳研究は二〇世紀末に勢いを増した分野である。「二一世紀は脳の世紀」などというたい文句もあった。

米国は一九九〇年に「脳の一〇年」と名づけた脳研究プロジェクトを立ち上げ、日本でも一九九七年に科学技術会議が脳研究の長期計画を決定した。

当時、エックルス卿のお弟子さんの伊藤正男さんがセンター長を務めていた理化学研究所の脳科学総合研究センターを中心に、「脳を知る」「脳を守る」「脳を創る」の三つの領域で研究を進めた。予算は毎年一〇〇億円以上で、日本にしてはかなり大型のプロジェクトだった。

このように脳へ脳へと向かう研究の流れは、当然、「心」や「意識」をキーワードとして前面に押し出した。別の言い方をすると、意識を研究テーマとするための機が熟したということになる。

以前、心や意識、精神をテーマにした著作は、書店では科学哲学や現代思想、それよりなにより、「精神世界」の棚に目立っていた。それを自然科学の棚でも見かけるようになったのも、流れの変化を示していたといっていいだろう。

二〇二〇年代になって振り返ってみると、当時の意識研究の「はやり」は、一度は収まったかに見えた。そこへ再び追い風を吹かせているのがＡＩの進化だ。

新型コロナウイルスの流行と同じように、パンデミックは収まっても、感染は続いていたわけだ。この四半世紀、意識研究は静かに持続し、チャットＧＰＴなどの登場で、新たな流行を引き起こしているのが現状だろう。

ただ、流行とは別に、脳科学者についてはずっと気になっていることがあった。

脳を見ても心はなかった

たとえ脳の研究がはやらなかったとしても、脳を研究対象としてきた科学者は意識や心について考えないわけにはいかなかっただろう。

その代表が、エックルス卿であり、スペリーであり、ペンフィールドである。

エックルスは九四歳まで長生きし、一九九七年に亡くなった。まさに脳と心の問題に捧げた一生だったに違いない。しかもエックルスは、若いころからの信念だった二元論を最後まで捨てなかった。スペリーとペンフィールドの場合、当初は一元論的な考え方をしていたはずなのに、晩年になって二元論に到達している。

このことは、意外であると同時に、納得しやすい面もある。

意識や心の座は脳にあるという。ところが、どんなに詳しく脳を見ていっても、意識も心もその姿を現わさない。となれば、脳と心は別ものだと感じるのは当然かもしれない。

しかも、スペリーやペンフィールドは、実験によって脳と人間の意識との関係をかなり直接的に調べている。その結果、脳という物質と、一人の人間が示す意識の両方が、実在する別々のものとして感じられたということではないだろうか。

さらに、彼らの考えの底には、唯物論や機能主義、還元主義などへの反発が深く根づいている。エックルス卿は、クリックとコッホの機能主義的な発言に対して「見え透いたSF小説」という辛辣な評価を与え、「意識は説明済みだ」と言わんばかりの機能主義者のデネットには「彼には謙虚さがないのか？」という言葉を進呈している。

だが、もうひとつ考慮しなければならないのは、日本人の脳研究者には二元論を主張する人は見あたらないということだ。彼らとて、脳をどんなに詳しく見ても、意識や心は見つからないという実感

コラム

日本人と一元論

意識や心の問題を考えるときに東洋思想を持ち出す人は多いが、宗教的バックグラウンドが希薄な日本人は大方が一元論的ではないかと思っていた。

「意識や心は、脳の働きとして生じる」と言われれば、ほとんどの人が「そりゃあそうだろう」と答える気がする。脳の働きとは別に、心が存在すると確信している日本人は少ないのではないだろうか。

そんな話をしていたら、脳科学にも詳しいコンピュータ科学者の田森佳秀さんに「いやいや、そんなことはない」と反論された。

確かに意識や心が脳の働きだと思っている点では一元論的ではある。でも、自分が見ているこの白いカップと、あなたが見ている同じ白いカップの見え方が、同じかどうかという話になると、「同じかどうかはわからないし、違うかもしれない」と考える人が多いという。

つまり、意識や心は脳の働きだといいながら、同じ脳の働きから生まれる意識や心が異なるものかもしれないと考えている。これは、脳と心を分離させた考えだと言うのだ。

そう言われると、そうかもしれない。

エックルスは非常に賢いがゆえに、自分の主張を冷静に考えて二元論的だと率直に認めたが、同じように考えていながら一元論だと言い張っている人もいるという。

こうしてみると、一元論、二元論という単純な分け方ひとつとっても一筋縄ではいきそうにない。

を持っていることだろう。

それでも欧米人と違って二元論には走らないのだとすれば、そこには文化的、宗教的バックグラウンドの違いが効いていると考えられる。

エックルスをはじめとする二元論者は、どこかで「神」を意識しているが、日本人にとっては神の存在が希薄だということと関係があるのかもしれない。

免疫学者が意識に走るわけ

脳の研究者が意識問題に邁進するのはあたりまえだとして、ほかの分野はどうだろう。もともと免疫を研究テーマにしていたエーデルマンや利根川博士が脳研究にシフトしたのは、一見不思議な話だが、私にはとても納得しやすいことでもある。

3章でも述べたように免疫系と神経系が似ている、ということは、ちょっとだけ両方のシステムについて考えてみればピンとくる。

免疫系を構成しているのは、リンパ球のT細胞とB細胞、マクロファージなどの免疫担当細胞だ。これらはいずれも、骨髄で作られる造血幹細胞から分化してできる。

体の中に病原体などの異物が侵入すると、これらの細胞が協力しあって攻撃する。おおざっぱに言うと、まず、マクロファージが異物を食べて、その異物の断片を自らの細胞表面に提示する。T細胞は異物を「非自己」と認識し、活性化する。活性化したT細胞は、B細胞を活性化する物質を生産する。B細胞はやがて抗体を作り始める。抗体は抗原である異物と結合し、これを排除する、という仕組みだ。

T細胞もB細胞も、一度出合った異物を覚えておいて、次に出合った時にすばやく反応する「メモリー機能」を備えている。この機能を利用したのが、新型コロナウイルス感染症対策でも重要な役割を果たしたワクチンだ。「感染した」と思わせることで免疫系のメモリー機能を働かせ、本物の攻撃に備える。

免疫系がすごいのは、これまで一度も出合ったことのない異物を認知できる点である。その仕組みを遺伝子レベルで解明したのが利根川博士の業績だ。

簡単に言うと、抗体を作る遺伝子はパーツに分かれていて、ここから順列組み合わせでパーツを選び出して再構成することによって、ほぼ無限に近い種類の遺伝子を作り出せる、という仕組みだ。

もう一度まとめると、免疫はネットワークでパターン認識をし、自己と非自己を見分け、記憶・学習する。

一方、神経系は膨大な数の神経細胞（ニューロン）で構成され、シナプスでネットワーク化されている。そして、このネットワークもパターン認識をし、自己と非自己を見分け、記憶・学習する。やはり似ている。

両者に共通しているもうひとつの特徴は「可塑性」だ。脳で言えば、生まれたての赤ん坊の脳と大人になってからの脳は明らかに異なる。学習や経験によってニューロンのネットワークの配線が変わるからだ。

一方、免疫系もどのような異物に遭遇したかによって、ネットワークの性質が変化する。つまり、どちらのシステムも歴史や経験を反映して変化するというわけだ。

さらに、脳と免疫系で働く共通のホルモンがあることも明らかになっている。進化という概念も共通項としてあげられる。

さらに、多田富雄さんの名著『免疫の意味論』でも明らかなように、免疫には思想的・哲学的なところがある。脳と心の問題と同様だ。

こうしてみると、エーデルマンをはじめとする免疫学者が意識の問題に興味を持つのは必然だったという気がしてくる。

物理で生物が解けたのだから、意識も解けるだろう

では、分子生物学者はどうだろう。前にも述べたように、分子生物学には還元主義的なところがある。従って、物理学同様、還元主義の限界を感じる人たちが単純な還元主義では解けそうにない意識の問題へと興味の中心を移すと考えることもできる。

しかし、物理学者と違って、分子生物学者は量子力学に意識の謎を求めない。そして、還元主義を決して否定するわけではなく、還元主義プラスアルファで問題を解きあかそうとしているように思える。

例えばクリックがそうだ。彼は一九六六年にワシントン大学で行なった講演を基に出版した『分子と人間』の中で、現代の生物学の究極的な目標は「生物学全体を物理学と化学を用いて説明すること[*7]」と言い切っている。これは、還元主義的方法論を支持しているとしか解釈できない。『DNAに魂はあるか』でも「この方法を改めるべきだとする強い実験的証拠がない限り、これまでどおり、還元主義をおし進めてゆくのは唯一の賢明な道である[*4]」と述べている。

『分子と人間』を読むと、クリックはこのときすでに、意識の問題を念頭においていたことがわかる。

本の基になった講演は「生気論は亡びたか？」というタイトルで、生気論（生命現象には物理や化学とはまったく異なる原理が働いているという考え）への批判を背景にしている。クリックによれば世の中に生気論が登場するのは、通常の概念では簡単に理解できない複雑な現象があるためだ。そして、そのような複雑な現象の典型的な例は、生物と無生物の境界、生命の起源、意識の三つだという。

このうちの「生物と無生物の境界」については、分子生物学によって神秘的な部分はなくなった、というのがクリックの考えだ。物質から生命の道のりについてはかなりの進歩を遂げ、起源と脳の問題を除いて生命の謎は解明された、とクリックは主張する。その結果として、分子生物学者の多くが神経系への移行を考えるようになったという。

また、クリック自身のように物理や化学から分子生物学に入ってきた人たちの動機は、生気論の誤りを正すためだったとも言っている。

これらを解釈すれば「物理や化学で生物という難問を解くことには成功した。次は同じ手法で意識に挑戦しよう」となるだろう。

『分子と人間』から三〇年をへて出版された『DNAに魂はあるか』の冒頭で、クリックは「あなたは神経細胞の束の働きにすぎない」という仮説を述べている。こうしてみると彼の考えは、三〇年前とほとんど変わっていないように思える。

つまり、細胞レベル、分子レベルで脳を解明することによって、意識の謎は解けると考えていたようだ。

その一方で、晩年のクリックは、意識の特徴として「創発的」という言葉を持ち出すことも忘れていない。複雑系のところで述べたように、創発とは、部分が集まってできた全体の性質が、個々の部分の総和にはない性質を示すことを表わす言葉だ。アンダーソンの"More Is Different"もこれに通じる。

脳で言えば、ニューロンが集まって構成されている脳の性質は、ニューロンの性質をたんに足し算したものではなく、相互作用によって脳としての性質が「創発」するということになる。つまりクリックのプラスアルファのひとつは「創発」だと考えてもいいだろう。

ただしクリックは、ここでもまた、自分の言う創発は、哲学者が好んで使うような神秘的な創発とは意味が異なることを強調している。つまり「全体は部分の単純なる総和ではない」ということは認めるが、それは創発的な現象が個々の部品の働きの総合として説明できないということではない。「原理的には部品の性質と働き、およびそれらの相互作用によって全体の働きは説明できる」というのだ。

なんだか素人には矛盾があるように思えてわかりにくい議論だが、4章でも述べたようにアーウィン・スコットに言わせれば、クリックは、人に説明するときは還元主義的で機能主義的な立場を表明するが、個人的には創発的二元論を擁護しているのだという。

このあたりは本人に確かめてみなければわからないが、残念ながらそのチャンスはなかった。

ただ、哲学者の意識へのアプローチに批判を加え、ひたすら意識の科学的研究の必要性を唱えたクリックだからこそ、できる限り近代科学から逸脱して見られることを避けたかったのではないだろうか。

意識研究の「正統派」たるゆえんかもしれない。

意識の神秘は量子論にあり

意識志向性の科学者を輩出している最大の派閥は、脳科学でも、免疫学でも、分子生物学でもない。物理学である。彼らの合言葉は「量子論」で、その影響は物理学以外の分野にまで及ぶほど強力だ。量子力学の創設に貢献したシュレディンガーは、精神の問題に積極的に取り組んだものの、意識と量子論に関係があるとは考えなかった。しかし、意識の問題が量子力学のテーマだと思わせる役割は演じたに違いない。彼のあとには量子力学を意識の問題に結びつける科学者が続出している。

自らも意識問題に挑戦した量子物理学者のヘンリー・スタップは、著書〝Mind, Matter, Quantum Mechanics（心、物質、量子力学）〟の前書きで、意識と量子論を結びつけて考えた科学者や哲学者をリストアップしている。そこには、シュレディンガーやペンローズ、エックルスに加え、ノーベル物理学賞受賞者のユージン・ウィグナー、現代コンピュータの鼻祖であるフォン・ノイマンらが名を連ねている。

このリストには名前がないが、ニューエイジ・サイエンスに影響を与えたといわれる理論物理学者、デヴィッド・ボームもそうだろう。

ボームは、量子力学の解釈を考え続けた物理学者で、量子力学の正統派解釈であるコペンハーゲン解釈に対立する考えとして「隠れた変数」の存在を提案したことで知られる。彼は、思考過程のあり方と量子過程のあり方との間にある類似性に四〇年前から気づいていたという。

米国の分子生物学者、ハロルド・モロヴィッツも、『マインズ・アイ』の中で量子力学のおかげで物理学が意識をまじめに考えざるをえなくなったと指摘している。

いったいなぜ、量子力学は意識と結びつきやすいのだろうか。

観測者が未来を変える

量子力学が古典力学と圧倒的に異なる点に、「観測者」の存在がある。観測者とは、文字通り対象となる力学系を観察している者のことだ。

ニュートンの古典力学の場合、観測者の存在は観測している対象に何の影響も及ぼさない。地球と太陽の間にどのような力が働き、地球が何日かけて太陽のまわりを回るか、空に放り投げたボールがどのように落ちてくるかは、それを観測する人がいようといまいと、一定不変である。いいかえればこの宇宙は我々の存在とは無関係に存在している。

ところが、量子力学の正統派解釈（コペンハーゲン解釈）によると、観測することによって観測さ

コラム

湯川秀樹と朝永振一郎

これだけ意識志向性の高いノーベル賞科学者が多いと、日本のノーベル賞科学者がどうなのかが気になるところだ。

利根川博士については本文で触れたが、いかにも志向性がありそうな気がしていたのは物理学者の湯川秀樹博士である。それというのも、湯川博士が中間子論を創設するきっかけに東洋的な思想が関係していたといわれているからだ。シュレディンガーをはじめ、意識志向性の高い科学者には、どこか東洋思想の匂いがする。

そう思って調べてみたが、意識や精神への興味を示す湯川博士のエピソードは見つからなかった。

少しでも脳に関係がある話として目についたのは、母親の死後にその脳を解剖したという話だ。湯川博士の自伝『旅人』に書かれている話で、子供のころにブランコから落ちて頭を打ったことがある湯川博士の母親は、亡くなる直前に自分の脳の解剖を遺言した。遺言は実行されたが、異常はなかったという。

では、朝永振一郎博士はどうだろう。朝永博士のほうもこれといって意識志向性はなさそうだ。

歴代の意識志向性ノーベル賞学者が東洋思想に解決の糸口を求めたわりには、当の東洋人ノーベル賞学者には意識志向性はなかったということだろうか。

れた対象の状態が決定する。観測するまで状態は定まっていない（観測者問題）。しかも、運動する粒子の位置と運動量とを同時に確定することができない（ハイゼンベルクの不確定性原理）。とても奇妙な話ではあるが、ここから浮かび上がるのは「観測者」が量子力学で重要な地位を占めているということだ。

では、観測者とは何か。

それは人間であり、もっと突き詰めれば人間の意識だということになるだろう。

そう考えると、量子力学を修めた科学者が、意識の問題を考えずにいられないのは当然と言えば当然なのではないだろうか。

決定論への反感

もうひとつ忘れてはならないのは、量子理論と意識の間にあるアナロジーである。最も際立っているのは確率論的傾向と非決定性だろう。

量子論は古典力学と違って、確率論的・非決定論的だが、意識もまたそうだ、というわけだ。

そしてこの非決定性は人間に自由意志があるという解釈（願望かもしれない）と結びつきやすい。

数理物理学者のアーウィン・スコットによれば、意識の問題に挑む人々が量子力学に走る背景には、古典力学におけるラプラス的な決定論への反感があるという。

ラプラスはフランスの数学者で、機械論的・決定論的な自然観に基づく超人間的英知「ラプラスの悪魔」を提案したことで知られる。宇宙の全構成要素の運動について初期条件と拘束条件を把握し、ニュートン力学を適用して解くことができる知性が存在すれば、自然界のあらゆる現象を計算して、未来も予測することができるという考え方だ。

ラプラスの悪魔は、ニュートンの古典力学の勝利を背景にして登場した。そしてラプラス的決定論によれば、未来は科学法則によって決定され、人間の脳も心も機械にすぎないということになる。ところがこれでは、自由意志の問題が取り残される。そこで、確率論的な要素を持つ量子力学に解決を求めるようになった、というのがスコットの解釈だ。

量子力学はまた、生命の謎そのものとも結びつきやすい。

科学史が専門の村上陽一郎氏によれば、一九三〇年代に量子力学が一応完成し、コペンハーゲン解釈を受け入れなくてはならなくなったときに、ボーア、シュレディンガー、デルブリュックら、世界を代表する物理学者が一斉に生命現象に向かった。つまり、量子力学の非決定性と生命の非決定性を結びつけて考えたという。

村上氏はデヴィッド・ボームの『断片と全体』の「解題にかえて」(一九八五年)で、このところ意識の世界に入り込む物理学者が見られるのも、一九三〇年代に起きたことの再現かもしれないと言っている。意識の世界は、生命以上に反決定論的で、反因果的と考えられてきたからだ。

反量子論

このように、量子力学と意識の間には、素人の私にもわかるくらいの類似性がある。しかし、それを踏まえた上で「意識の解明に量子力学は必要ない」という立場の人もたくさんいる。たびたび本書に登場してもらったクリックもその一人である。意識研究の発展に伴って一九九四年に刊行された論文誌"Journal of Consciousness Studies"の創刊号のインタビューで、次のように答えている。

「量子力学が化学の基礎になっているのはご存じの通りで、量子力学の重要性について異論のある人はいません。でも、人々が言おうとしているのは、量子力学に化学を超える何かがあるということです。今のところ、私にはその考えに根拠があるとは思えません。なぜなら、もしそういうことが起きているとした場合に脳の働きのミステリーの何が解明されるのか、アウトラインはおろか、スケッチさえ示されていないからです」

哲学者のサールや数理物理学者のスコットもまた、量子力学の必要性を否定する。

スコットは『心の階梯』の中で、「ディレンマの真の発生源は、古典力学の内部で発生する複雑さについての、あまりにも小さすぎる見積もりにある[*8]」と主張している。つまり、量子論を持ち出すまでもなく、古典力学のこれまで見過ごされていた部分に、意識の謎を解くカギがあると考えているのだ。

スコットによれば、古典力学は決定論にまるごと含まれるものではない。形は単純なのに、ごく近い未来までしか振る舞いを予測できない力学系はたくさんある。しかも人間の脳は、単純な微分方程式では表わせない。そう考えていくと、量子効果を持ち出すまでもなく、脳や心の不確実性や非決定性は説明できるとスコットは言うのだ。

スコットの主張に接して、すぐに複雑系が思い浮かんだ。実際、スコットは意識にアプローチするためのキーワードとして「創発性」を非常に重要視しており、複雑系意識学者と名づけてもいいような科学者なのだ。

統一論の魅力

もうひとつ、物理学者と意識研究を考えるときに思いつくのは、「統一理論」である。

物理学者の夢は、この世の法則をひとつに統一することだ。いいかえれば、ひとつの法則でこの世のすべてを記述することである。

自然界には電磁力、弱い力、強い力、重力の四つの力が存在する。素粒子の標準理論はこのうちの電磁力と弱い力を同じ土俵で扱うことに成功した。スティーヴン・ワインバーグとアブドゥス・サラムの電弱統一理論だ。

これをワンステップ拡大する理論と考えられているのが、電磁力、弱い力、強い力の三つの力を統一する「大統一理論」である。

一九九八年六月に、日米の共同研究グループは「素粒子ニュートリノに質量があるとの確証を得た」と発表した。素粒子の標準理論は、ニュートリノに質量がないという前提で構築されていたが、ニュートリノ振動が発見されたことでこれが覆されることになった。

この業績で東京大学宇宙線研究所の梶田隆章さんとカナダ・クイーンズ大学のアーサー・マクドナルドさんが二〇一五年にノーベル賞を受賞したのはご存じの通りだ。

この発見はさまざまな影響を持つが、物理学者は、これが「大統一理論」の誕生につながる可能性を秘めているという点にも注目する。

さらに三つの力に重力までも加えた統一理論を、多くの物理学者がめざしている。

このように、「統一」を理想とする物理学者にとって、精神と物質の統一、というのは通常の人以上に意味のあることなのではないだろうか。

ジョセフソンは、精神と物理学をつなぐ「架け橋」の候補として、複雑系の科学をあげていた。これは、精神と物質の世界が、何らかの法則によって統一できるとの思いがあるからではないだろうか。

また、物理学者の中村量空は、シュレディンガーが求めていたものは「統一化された世界」だと指摘していた。統一化の最終的なゴールは、自我と世界の統一、精神と物質の統一であるという考えだ。シュレディンガーの場合はこの統一を宗教的レベルで捉え、ウパニシャッド哲学など東洋的思想に傾倒していったのだ。そしてジョセフソンもまた、神秘主義へと足を踏み入れていった。

神秘主義と直観

超心理学に走ったジョセフソンの心変わりを知ったときには、非常に特異なケースだと思っていた。ところが、こうしてノーベル賞学者を見渡してみると、神秘主義へと傾いていった人はめずらしくない。カレルしかり、シュレディンガーしかり、エックルスもシェリントンもある意味では神秘主義に入るだろう。

いったいそれは、なぜなのだろうか。

残念ながら、エックルスもシェリントンも、シュレディンガーも、すでにこの世の人ではない。リシェやカレルが正しいとすれば、彼らの霊魂と話すことも不可能ではなさそうだが、今のところむずかしそうだ。

しかし、彼らには共通項があるように思える。

前述したように、カレルやリシェ、ジョセフソンは、科学的発見における「ひらめき」や「直観」を重視しているという点である。

確かに、天才的研究を成し遂げるためには、努力だけではだめだろうと凡人の私には思える。実際、ひらめきの重要性を語る天才的な科学者は数多くいる。

自分では意識していないのに、最適の選択がひらめく。そんな創造的な体験をした人は、物理法則に従った脳の働き以上のものを、自分の中に感じるのだろうか。

二元論を主張し、なおかつ意識と量子論を結びつけて考えた大脳生理学者エックルスは、創造的なアイデアが生まれる過程を次のように語っている。

「まず問題についての知識とその問題についてで試みられた解決についての批判的な評価で心を充たす。後はそのようにして作り出された心の緊張の結果をまつ。アインシュタインがしばしばしたように散歩をしたり、あるいは音楽に耳を傾けてもよい（中略）緊張した心でもがくことはしないで、よい創造的なアイデアが飛び出すよう希望すると、しばしば実際にこれがおこる。（中略）創造的過程の多くが意識下で行われることは明らかである」[*9]

もちろん、直観やひらめきの重要性を指摘する科学者には、神秘主義とは関わりのない人たちもいる。

例えば、ノーベル化学賞の受賞者である福井謙一博士もその一人である。「振り返ってみれば論理によらない選択に導かれたことが多い」と述べている。問題を考え続けていたら、夢の中に答えが出てきたという話も福井さんはしている。

おそらく、ノーベル賞科学者のほとんどが、同じような瞬間を体験しているのではないかと私には思える。そして、そのうちの何人かが、自分を導いた無意識の脳の働きに興味をそそられ、意識の問題へと深く分け入っていくのかもしれない。

今後、意識が科学的に研究される過程で、このような直観やひらめきのメカニズムが解明されるのかどうか、今の私には見当がつかない。ＡＩの進化がここにどのように貢献していくかもまだ未知数だ。

そして、意識が解明されたときに、私たちの人間観がどれほどの変革を迫られるのかは、想像もつかない。

それでも意識解明に向けた流れは止まらないだろう。

意識が解明されるのがいつのことかはわからない。だが、改めてノーベル賞科学者やそれに匹敵する成果を上げた科学者と二〇世紀科学を概観してみてわかるのは、意識研究を成功させようと思ったら、縦割り、細分化という現代科学の欠点を補っていかなければ無理だということだ。

そして、二〇世紀末の時点でそれができたのは、通常の科学界のすごろくでは「あがり」となった「オーソリティー」だったのだという気がする。そうでなければ、なかなか多数の研究分野を股にかけることはむずかしいからだ。

その意味で、ノーベル賞科学者をはじめ、功成り名遂げた科学者が、意識研究の旗を振ってきたことは決して悪いことではなかった。たとえそれが、突拍子もない内容であったとしても、歓迎したほうがいい。ある時点で「そんなバカな」と思われた考えが、のちのち正しかったことが証明されることがめずらしくないのは、科学の歴史が証明している通りである。

一九九九年夏 東京で開かれた意識の国際会議

一九九九年初夏。青山にある国連大学のホールの入り口付近のソファに腰かけ、私はデビッド・チャルマーズに質問をしていた。

意識の「むずかしい問題」と「やさしい問題」の区分けで知られるアリゾナ大学の哲学教授は、ウェーブのかかった栗色の長髪をふわふわさせながら、クリストフ・コッホに勝るとも劣らない早口で答えを返してくる。細身で華奢な体つきのチャルマーズは、コッホとはまた違った意味で、大学教授とは思えない雰囲気を漂わせている。ロック歌手だといわれると信じてしまいそうだ。

ホールの中では「脳と意識に関する『Tokyo'99国際会議』」が進行していた。この会議は、ノートルダム清心女子大学教授である保江邦夫さんと講師の治部眞里さん（いずれも当時）が国連大学高等研究所やアリゾナ大学などと協力して開いたもので、米国で開かれているツーソン会議の日本版といった趣の会合だった。

意識の問題に取り組む哲学者や認知科学者、物理学者、生物学者らが顔をそろえ、議論を繰り広げた。その中には、超心理学に向かったノーベル賞学者のブライアン・ジョセフソンや、ペンローズの共同研究者であるスチュワート・ハメロフ、オートポイエーシスで知られるフランシスコ・ヴァレラ、『脳が心を生みだすとき』を書いたオックスフォード大学のスーザン・グリーンフィールドらの姿も混じっていた。

「むずかしい問題」と「やさしい問題」についてチャルマーズにたずねたあと、私は今度も次のように聞いてみた。

「哲学のテーマだった意識の問題に、ノーベル賞科学者たちが焦点を合わせるようになったのはなぜだと思うか」

チャルマーズはまず、「意識の問題は、哲学だけのテーマではなく、すべての人のテーマである」と釘を刺した。ただし、あまりにむずかしい問題だったので、ここ一〇〇年ぐらい科学的な方法でアプローチすることが困難だった。科学は客観的で、意識は主観的だということも手伝って、科学者は意識から遠ざかろうとしていたという。

しかし、状況は変わった。

「僕が思うに、科学者にとっての本当のドライビング・フォース（推進力）は、実験ができるかどうかだったんじゃないだろうか」とチャルマーズは続けた。

これをさかのぼること十数年の間に意識に関する実験の新しいアイデアが生まれてきた。特に、意識に伴う神経細胞の働き、すなわちＮＣＣについて実験ができるようになったことによって、意識の科学に共通のゴールが設定された。

「そのことが、クリックやエーデルマンを意識の分野に招き入れたのだと僕は思う」とチャルマーズは述べた。

前にも触れたが、チャルマーズはクリックらのアプローチについて、「やさしい問題だけを扱っている」と指摘してきた。「そのことについてクリックとは話をしたが、彼も認めている」とチャルマーズは言った。ただし、それは批判というわけではなさそうだ。

「彼らのアプローチは正直で、リーズナブルだ。彼らがやっていることによって、神経科学と意識の関係が見いだされた。やがてはその関係の根底にある基本原理を理解する必要があるわけだが、今はまだ早すぎる」。だから、やさしい問題から手をつけるのは、決して意味のないことではないというのがチャルマーズの考えだった。

「むずかしい問題」を提起した一九九〇年代前半には、意識の解明はすぐそこだという雰囲気が盛り上がっていた、とチャルマーズは振り返った。一夜にして問題が解決されるのではないかという興奮に満ちていた。

だが、その後は、もっと現実的になっている。

「僕たちはちょっとずつ進んでいる。ちょっとずつ新しいデータが出てきて、ちょっとずつ新しい理論が出てきて、おそらく一〇年か二〇年か、でなければ五〇年かけて、意識の理論に向けて徐々に進んでいく。だから、あまり急ぐ必要もない」

認知哲学の正統派たるチャルマーズは、この時の話をそう締めくくった(それから四半世紀後のチャルマーズは、4章で紹介した通り、AIの意識について踏み込んで考えている)。

「脳と意識に関する 'Tokyo'99 国際会議」でチャルマーズと話す少し前、ちょうど通りかかったブライアン・ジョセフソンにも声をかけてみた。「恥ずかしがりや」といわれるジョセフソンは、例の空気が少し漏れたようなしゃべり方でぼそぼそと答えただけで、すぐにいなくなってしまったが、会議に対する感想には答えてくれた。

チャルマーズとは立場がまったく違うはずのジョセフソンの感想も、「ちょっとずつ進んできたと思う」だった。

チャルマーズはインタビューのおしまいに「この会議はどうだった?」と私にたずねた。

私は「いつもカバーしている自然科学の学会とはずいぶん印象が違う」と答えた。参加者の分野が多岐にわたるだけではない。話されていることのほとんどが、仮説であったり、推測であったり、アナロジーであったりするのは、通常の科学の学会には見られないことだ。

これを聞いて、チャルマーズは「そうでしょう」とばかりに笑った。

引用・参考文献

＊1――フランシス・クリック『熱き探究の日々　DNA二重らせん発見者の記録』中村桂子訳　ティビーエスブリタニカ　一九八九年
＊2――ロジャー・スペリー『融合する心と脳　科学と価値観の優先順位』須田勇・足立千鶴子訳　誠信書房　一九八五年
＊3――ジョン・C・エックルス『自己はどのように脳をコントロールするか』大野忠雄・斎藤基一郎訳　シュプリンガー・フェアラーク東京　一九九八年

*4——フランシス・クリック『DNAに魂はあるか　驚異の仮説』中原英臣・佐川峻訳　講談社　一九九五年
*5——ジェラルド・M・エーデルマン『脳から心へ　心の進化の生物学』金子隆芳訳　新曜社　一九九五年
*6——E・シュレーディンガー『生命とは何か　物理的にみた生細胞』岡小天・鎮目恭夫訳　岩波書店　一九五一年
*7——クリック『分子と人間』玉木英彦訳　みすず書房　一九七〇年
*8——アーウィン・スコット『心の階梯』伊藤源石訳　産業図書　一九九七年
*9——ジョン・C・エックルス『脳の進化』伊藤正男訳　東京大学出版会　一九九〇年

エピローグ

意識研究の未来

あれから四半世紀がいつの間にか過ぎた。チャルマーズが予想したように、意識研究は少しずつ進んだが、当時のような熱気が持続したわけではない。大きなブレークスルーがあったわけでもない。哲学者と科学者の二五年越しの賭けが哲学者の勝利に終わったのはその表れだろう。

一方で、意識の理論への注目度は上がってきた。意識研究に興味のある人たちの間では、本書でも紹介した「統合情報理論」や「グローバル・ニューロナル・ワークスペース理論」が議論になっている。それ以外にも英国の神経科学者カール・フリストンが提唱する「自由エネルギー原理」など、複数の理論が話題に上る。

正直言って、私は「これらの理論をわかるように説明しろ」と言われると頭を抱えてしまう。興味を持った方はぜひ、関連の書籍をお読みいただきたい。

こうした理論が群雄割拠するだけでなく、実験手法も進歩した。脳の活動を測定する技術が進むことで理論の検証もできるようになる。


そこへさらなる一石を投じたのが、ＡＩの進化、特に一般の人にも身近になったチャットＧＰＴのような生成ＡＩの進化だろう。

その周辺から新たな意識研究と、それをめぐる論争が生まれる予感がある。ＡＩの意識を論じることが、人間や動物の意識を考えることに跳ね返ってくるのは間違いない。

一方で、ちょっと残念なのは、かつてのように「正統派科学の大御所」の中に、意識研究に突っ込んでくる人があまりみられないことだ。

これはいったいどうしてなのか。本書のテーマとは逆に、「なぜ、最近の正統派科学者は意識研究にのめり込まないのか」という疑問も、考えてみる価値がありそうだ。


そしてもうひとつ、忘れてはならないのは、意識の謎の解明には、光とともに影もつきまとうということだ。

二〇世紀の科学を振り返れば、それは明らかだ。核分裂反応に伴って放出される莫大なエネルギーの発見は、原子爆弾の開発へと結びついた。原子力発電の事故は大惨事を招いた。急速に進む遺伝子工学や発生工学もまた、社会との摩擦を生み出している。

意識の謎が本当に解けるとなったら、人々は興奮すると同時に、不安も感じるに違いない。意識をコントロールする力を誰かが手に入れたとしたらどうなるか。取り返しのつかないことにならないとは限らない。


四半世紀前に青山の国連大学で開かれた脳と意識の国際会議は「Tokyo'99宣言」を採択して幕を閉じた。そこには、意識研究を平和利用に限って行なうという決意と願いが盛り込まれていた。

二一世紀を生きる私たちにとって、この願いは以前にも増して切実である。

おわりに

しばしば経験することですが、原稿を書き始めると自分の意図を超えて思わぬ方向に話が進んでいくことがあります。本書の土台である『ノーベル賞科学者のアタマの中　物質・生命・意識研究まで』は、まさにそういう本でした。

初めての単著で、恐る恐る書いたのに、気づいたら思わぬところに着地していました。

それを二〇年ぶりに改訂しようという話が持ち上がったのは、新型コロナウイルス感染症のパンデミックが勃発する少し前のことです。

そんなに書き加える話があるだろうかと思ったまま、新型コロナに振り回されて三年以上が過ぎ、その間に、いくつかの「事件」が起きました。

まず、チャットGPTに象徴される生成AIの登場です。これは、「機械は意識を持つか」という以前からのテーマに深くかかわります。

さらに、量子脳理論のペンローズ先生が本業のブラックホール理論でノーベル物理学賞を受賞したり、複雑系がノーベル賞の対象となったり。加えて、意識研究をめぐる科学者と哲学者の「二五年越しの賭け」に決着がつき、その筋ではけっこう話題を呼んだのです。

なんだか、「今こそ新版を出さなくちゃ」と言われている気がしました。


こうして四半世紀ぶりにアップデート作業を始めたのですが、いくつか難問が。

まず、当時、山のように集めたはずの文献がどこにあるのかわからない。雑然とした本棚だけでなく、床にあふれた本や、部屋の隅に押し込まれた段ボール箱をひっくり返し、思った以上の文献が出てきましたが、どう頑張っても見つからないものもある。でも、以前は確かに参照したので、多くを「参考文献」のリストに残しました。

また、当時は原文から訳出したと思われるのに原著が見つからず、参考文献に挙げている邦訳の文書と文言が違っているものもありました。そうした場合、意味が変わらなければ、以前の訳をそのまま採用しました。

もうひとつは、当時、話を聞いた人々の考えがその後、どう変わったか。文献を参考にたどり、主だった人には直接連絡しましたが、返事が返ってこないケースもあり、完全にフォローできたとはいえません。もし、「あの時はそう思っていたけど、今はまったく考えが変わってしまった」ということが改めてわかった場合は、築地書館のウェブサイトで順次、紹介できればと思っています。

意識や心の科学をめぐる論争はまだまだ続くでしょう。個人的には科学界の重鎮が「ええ!」と驚くような大胆な仮説を披露してくれるのに期待する一方、若手や中堅の科学者が地道に実験を重ねて成果をあげてほしいと願っています。

改訂版を書くに当たり、改めて下條信輔さん、クリストフ・コッホさん、アニル・セスさん、土谷尚嗣さんにお話をうかがい、引用させていただきました。改めてお礼申し上げます。もちろん、残されているかもしれない間違いは筆者の責任です。

最後に、前著を編集し、今回の改訂を提案し、その後四年も気長に待ってくれた築地書館の土井二郎さん、編集作業を支援していただいた方々、ヘタウマな似顔絵を描いてくれた藤本良平さんにもこの場を借りてお礼申し上げます。

二〇二三年師走

沢高志・内田美恵訳　工作舎　1986年
湯川秀樹『旅人　湯川秀樹自伝』角川文庫　1960年
養老孟司「脳科学にとっての20世紀」からだの科学　200号　日本評論社　1998年
養老孟司『考えるヒト』筑摩書房　1996年
吉永良正『ゲーデル・不完全性定理』講談社ブルーバックス　1992年
吉永良正『「複雑系」とは何か』講談社現代新書　1996年
米沢富美子・立花隆『ランダムな世界を究める　物質と生命をつなぐ新物理学』三田出版会　1991年
米沢富美子『複雑さを科学する』岩波科学ライブラリー　1995年
M・リオーダン、D・N・シュラム『宇宙創造とダークマター　素粒子物理からみた宇宙論』青木薫訳　吉岡書店　1994年
ベンジャミン・リベット『マインド・タイム　脳と意識の時間』下條信輔訳　岩波書店　2005年
ロジャー・リューイン「複雑性の科学」科学 vol. 62, No. 2　1992年
ロジャー・リューイン『複雑性の科学　コンプレクシティへの招待』福田素子訳　徳間書店　1993年
スティーヴン・ワインバーグ『究極理論への夢　自然界の最終法則を求めて』小尾信弥・加藤正昭訳　ダイヤモンド社　1994年
Watson, J. D. (1968) *The Double Helix*. New York and Scarborough, Ontario（ジェームズ・ワトソン『二重らせん』江上不二夫・中村桂子訳　講談社文庫　1986年）
ミッチェル・ワールドロップ『複雑系』田中三彦・遠山峻征訳　新潮社　1996年
ヤクルト本社『1996　第10回記念　ヤクルト国際シンポジウム記録集　物質・生命・精神』1997年

ロジャー・ペンローズ『心は量子で語れるか』中村和幸訳　講談社　1998年
ロジャー・ペンローズ『皇帝の新しい心』林一訳　みすず書房　1994年
ジョン・ホーガン「世界の科学者　28（ブライアン・D・ジョセフソン）」日経サイエンス　1995年7月号　竹内薫訳
Horgan, J. (1996) *The End of Science*. Broadway Books. New York.（ジョン・ホーガン『科学の終焉』竹内薫訳　徳間書店　1997年）
スティーブン・ホーキング、ロジャー・ペンローズ「ホーキングvs.ペンローズ—時空の本質をめぐる論争」日経サイエンス　1996年9月号　山口昌秀訳
ダグラス・R・ホフスタッター、ダニエル・C・デネット編著『マインズ・アイ』坂本百大監訳　TBSブリタニカ　1992年
ダグラス・R・ホフスタッター『ゲーデル、エッシャー、バッハ』野崎昭弘・はやし・はじめ・柳瀬尚紀訳　白揚社　1985年
デヴィッド・ボーム『断片と全体』佐野正博訳　工作舎　1985年
Holland, J. H. (1995) *Hidden Order. How Adaptation Builds Complexity*. Helix Book
マイケル・ポランニー『暗黙知の次元』佐藤敬三訳　紀伊國屋書店　1980年
リン・マーグリス「思索についての思索」『〈意識〉の進化論』（ジョン・ブロックマン編）長尾力他訳　青土社　1992年
マルチェッロ・マッスィミーニ、ジュリオ・トノーニ『意識はいつ生まれるのか』亜紀書房　2015年
マービン・ミンスキー『心の社会』安西祐一郎訳　産業図書　1990年
W・ムーア『シュレディンガー　その生涯と思想』小林澈郎・土佐幸子訳　培風館　1995年
村上陽一郎「解題にかえて」デヴィッド・ボーム『断片と全体』佐野正博訳　工作舎　1985年
村上陽一郎編『現代科学論の名著』中公新書　1989年
村上陽一郎『科学者とは何か』新潮選書　1994年
茂木健一郎『脳とクオリア　なぜ脳に心が生まれるのか』日経サイエンス社　1997年
茂木健一郎『クオリアと人工意識』講談社現代新書　2020年
ジャック・モノー『偶然と必然』
矢沢サイエンスオフィス編集『最新科学論シリーズ　世界が注目する科学「大仮説」』学研　1998年
矢沢サイエンスオフィス編集『最新科学論シリーズ　大科学論争』学研　1998年
矢野健太郎『アインシュタイン伝』新潮文庫　1997年
エリッヒ・ヤンツ『自己組織化する宇宙　自然・生命・社会の創発的パラダイム』芹

グレゴリー・ニコリス、イリヤ・プリゴジン『複雑性の探求』安孫子誠也・北原和夫訳　みすず書房　1993年
西垣通『デジタル・ナルシス　情報科学パイオニアたちの欲望』岩波書店　1991年
西垣通『聖なるヴァーチャル・リアリティ』岩波書店　1995年
日本化学会編『ノーベル賞科学者が語る　新世紀への期待』日刊工業新聞社　1991年
日本総合研究所編『生命論パラダイムの時代』ダイヤモンド社　1993年
ノーベル財団『ノーベル賞講演　生理学・医学　5巻』川喜多愛郎他編　講談社　1985年
ノーベル財団『ノーベル賞講演　生理学・医学　10巻』川喜多愛郎他編　講談社　1985年
ヴェルナー・ハイゼンベルク『部分と全体　私の生涯の偉大な出会いと対話』山崎和夫訳　みすず書房　1974年
ヴェルナー・ハイゼンベルク『科学—技術の未来』芦津丈夫編訳　人文書院　1998年
ニコラス・ハンフリー『内なる目　意識の進化論』垂水雄二訳　紀伊國屋書店　1993年
E・P・フィッシャー、C・リプソン『分子生物学の誕生　マックス・デルブリュックの生涯』石館三枝子・石館康平訳　朝日新聞社　1993年
福井謙一「21世紀創造の動機づけ」高度情報化推進協議会第7回委員会の特別講演録　1991年
イリア・プリゴジン、イザベル・スタンジェール『混沌からの秩序』伏見康治・伏見譲・松枝秀明訳　みすず書房　1987年
ジョン・ブロックマン編『〈意識〉の進化論』長尾力他訳　青土社　1992年
ティム・ベアズリー「世界の科学者　36（ダニエル・C・デネット）」日経サイエンス　1996年4月号　関裕子訳
D・O、ヘップ『心について』白井常・鹿取廣人・平野俊二・鳥居修晃・金城辰夫訳　紀伊國屋書店　1987年
ワイルダー・ペンフィールド『脳と心の正体』塚田裕三・山河宏訳　法政大学出版局　1987年
Penrose, R., Beyond the Doubting of a Shadow. *PSYCHE*, 2 (23), January 1996
Penrose, R. (1994) *Shadows of the Mind. A Search for the Missing Science of Consciousness.* Vintage
ロジャー・ペンローズ『ペンローズの量子脳理論』竹内薫・茂木健一郎訳　徳間書店　1997年

立花隆・利根川進『精神と物質　分子生物学はどこまで生命の謎を解けるか』文藝春秋　1990年
Chalmers, D. J., Facing Up the Problem of Consciousness. *Journal of Consciousness Studies*, vol. 2 (3). 200-219 (1995)
D・J・チャルマース「意識をどのように研究するか」日経サイエンス　1996年2月号
デイヴィッド・J・チャルマーズ『意識する心』林一訳　白揚社　2001年
デイヴィッド・チャルマーズ『リアリティ+　バーチャル世界をめぐる哲学の挑戦』上下　高橋則明訳　NHK出版　2023年
土谷尚嗣『クオリアはどこからくるのか？』岩波科学ライブラリー　2021年
都筑卓司『不確定性原理』講談社ブルーバックス　1970年
ポール・デイヴィス『宇宙に隣人はいるのか』青木薫訳　草思社　1997年
フィリップ・K・ディック『アンドロイドは電気羊の夢を見るか？』浅倉久志訳　ハヤカワ文庫　1977年
デリク・デイトン『動物の意識　人間の意識』大野忠雄・小沢千重子訳　紀伊國屋書店　1998年
Denett, D. (1995) *Darwin's Dangerous Idea*. Penguin Books
ダニエル・C・デネット『解明される意識』山口泰司訳　青土社　1998年
スタニスラス・ドゥアンヌ『意識と脳』高橋洋訳　紀伊國屋書店　2015年
クリスチャン・ド・デューブ『生命の塵　宇宙の必然としての生命』植田充美訳　翔泳選書　1996年
Tononi, G. and Edelman, G. M., *Science*, vol. 282, 1846-1851 (1998)
Tononi, G. et. al., *Proc. Natl. Acad. Sci.*, vol. 95, 3198-3203 (1998)
戸田盛和『物理読本２　ミクロへ、さらにミクロへ　量子力学の世界』岩波書店　1998年
Thomas J. et. al., Impaired Hippocampal Representation of Space in CA1-NMDAR1 Knockout Mice. *Cell*, vol. 87, 1339-1349 (1996)
朝永振一郎『量子力学と私』岩波文庫　1997年
ジェームス・トレフィル『人間がサルやコンピューターと違うホントの理由』家康弘訳　日本経済新聞社　1999年
中村桂子『自己創出する生命　普遍と個の物語』哲学書房　1993年
中村量空『複雑系の意匠　自然は単純さを好むか』中公新書　1998年
中村量空『シュレーディンガーの思索と生涯』工作舎　1993年
日経サイエンス編集部編『世界の知性　科学を語る　第一人者の人と業績』日経サイエンス社　1995年

1997年
佐藤文隆『量子力学のイデオロギー』青土社　1997年
Searl, J. R. (1992) *The Rediscovery of the Mind*. The MIT Press, Cambridge, Massachusetts
ジョン・サール『心・脳・科学』土屋俊訳　岩波書店　1993年
The Bulletin of the Santa Fe Institute. Spring-Summer, 1992, vol 7, No1.
清水博『生命を捉えなおす　生きている状態とは何か　増補版』中公新書　1990年
清水博『生命と場所　創造する生命の原理（新版）』NTT出版　1999年
下條信輔『視覚の冒険　イリュージョンから認知科学へ』産業図書　1995年
下條信輔『サブリミナル・マインド　潜在的人間観のゆくえ』中公新書　1996年
下條信輔『〈意識〉とは何だろうか』講談社現代新書　1999年
H・F・ジャドソン『分子生物学の夜明け』（上・下）野田春彦訳　東京化学同人　1982年
エルヴィン・シュレーディンガー『生命とは何か―物理的にみた生細胞―』岡小天・鎮目恭夫訳　岩波書店　1951年
エルヴィン・シュレーディンガー『精神と物質』中村量空訳　工作舎　1987年
エルヴィン・シュレーディンガー『シュレーディンガー　わが世界観［自伝］』中村量空・早川博信・橋本契訳　共立出版　1987年
ウイリアム・ジェームズ『心理学』（上・下）今田寛訳　岩波文庫　1993年
ブライアン・ジョセフソン『ノーベル賞科学者ブライアン・ジョセフソンの　科学は心霊現象をいかにとらえるか』茂木健一郎・竹内薫訳　徳間書店　1997年
アーウィン・スコット『心の階梯』伊藤源石訳　産業図書　1997年
Stapp, H. P. (1993) *Mind, Matter, and Quantum Mechanics*. Springer-Verlag
デイヴィド・G・ストーク編『HAL伝説　2001年コンピュータの夢と現実』日暮雅通監訳　早川書房　1997年
ロジャー・スペリー『融合する心と脳　科学と価値観の優先順位』須田勇　足立千鶴子訳　誠信書房　1985年
アニル・セス「脳が『現実』を作り出す」日経サイエンス　2019年12月号
アニル・セス『なぜ私は私であるのか』岸本寛史訳　青土社　2022年
『生命に挑む　利根川進・花房秀三郎の世界』渡邊格監修　日刊工業新聞社　1988年
ダナー・ゾーハー『クォンタム・セルフ　意識の量子物理学』中島健訳　青土社　1991年
高内壮介『湯川秀樹論』第三文明社　1993年
竹内薫・茂木健一郎『トンデモ科学の世界』徳間書店　1995年
多田富雄『免疫の意味論』青土社　1993年

工作舎　1979 年
アレキシス・カレル『人間　この未知なるもの』渡部昇一訳　三笠書房　1992 年
ジョン・L・キャスティ『複雑系による科学革命』中村和幸訳　講談社　1997 年
シェルダン・グラショウ『素粒子物理に未来はあるか　グラショウ教授が語る』本間三郎訳　丸善　1994 年
フランシス・クリック『分子と人間』玉木英彦訳　みすず書房　1970 年
Crick, F. and Mitchison, G., The function of dream sleep. *Nature*, vol. 304, 111-114 (1983)
Crick, F., Function of the thalamic reticular complex: The searchlight hypothesis. *Proc. Natl. Acad. Sci.*, vol. 81, 4586-4590 (1984)
Crick, F., The recent excitement about neural networks. *Nature*, vol. 337, 129-132 (1989)
フランシス・クリック『熱き探究の日々　DNA 二重らせん発見者の記録』中村桂子訳　TBS ブリタニカ　1989 年
フランシス・クリック、クリストフ・コッホ「意識とは何か」日経サイエンス　1992 年 11 月号
Crick, F. (1994) *The Astonishing Hypothesis. The Scientific search for the Soul.* A Touchstone Book, Simon & Schuster.（フランシス・クリック『DNA に魂はあるか　驚異の仮説』中原英臣・佐川峻訳　講談社　1995 年）
Interview of Francis Crick. *Journal of Consciousness Studies*, vol. 1. No. 1 10-24 (1994)
Crick, F. & Koch, C., Are we aware of neural activity in primary visual cortex? *Nature*, vol. 375, 121-123 (1995)
マイクル・クライトン『ロスト・ワールド　ジュラシック・パーク 2』（上・下）酒井昭伸訳　ハヤカワ文庫　1997 年
スーザン・グリーンフィールド『脳が心を生み出すとき』新井康允訳　草思社　1999 年
スティーヴン・ジェイ・グールド『パンダの親指　進化論再考』（上・下）櫻町翠軒訳　早川書房　1996 年
マレイ・ゲルマン『クォークとジャガー　たゆみなく進化する複雑系』野本陽代訳　草思社　1997 年
クリストフ・コッホ『意識をめぐる冒険』土谷尚嗣・小畑史哉訳　岩波書店　2014 年
クリストフ・コッホ「機械は意識を持ちうるか」日経サイエンス　2020 年 3 月号
酒井邦嘉『心にいどむ認知脳科学　記憶と意識の統一理論』岩波科学ライブラリー

主な参考文献

Anderson, P. W., More Is Different. *Science*, vol. 177, 4047, 393-396 (1972)

伊藤正男『脳と心を考える』紀伊國屋書店　1993年

Ito, M., Obituary: John C. Eccles. *Nature*, vol. 387, 664 (1997)

ノーバート・ウィーナー『人間機械論　人間の人間的な利用』鎮目恭夫・池原止戈夫訳　みすず書房　1979年

ケン・ウィルバー『量子の公案』田中三彦・吉福伸逸訳　工作舎　1987年

ジョン・C・エックルス『脳と実在』鈴木二郎・宇野昌人訳　紀伊國屋書店　1981年

Eccles, J. C., Evolution of consciousness. *Proc. Natl. Acad. Sci.*, vol. 89, 7320-7324 (1992)

ジョン・C・エックルス、W・C・ギブソン『シェリントンの生涯と思想　現代脳研究のパイオニア』大野忠雄訳　産業図書　1979年

ジョン・C・エックルス『脳の進化』伊藤正男訳　東京大学出版会　1990年

ジョン・C・エックルス『自己はどのように脳をコントロールするか』大野忠雄・齋藤基一郎訳　シュプリンガー・フェアラーク東京　1998年

ジョン・C・エックルス、ダニエル・N・ロビンソン『心は脳を超える　人間存在の不思議』大村裕・山河宏・雨宮一郎訳　紀伊國屋書店　1989年

ジェラルド・M・エーデルマン『脳から心へ　心の進化の生物学』金子隆芳訳　新曜社　1995年

苧阪直行『意識とは何か』岩波科学ライブラリー　1995年

苧阪直行「リカーシブな意識とワーキングメモリー」*Japanese Psychological Review*, vol. 41 No. 2 87-95 (1998)

スチュアート・A・カウフマン「ダーウィンを超える"カオス進化論"」日経サイエンス　1991年10月号

金井良太『AIに意識は生まれるか』イースト・プレス　2023年

金子邦彦「カオス、CML、複雑系」科学 vol. 62 No. 7　岩波書店　1992年

金子邦彦「複雑系　カオス的シナリオから生命的シナリオへ」現代思想 1996年11月号

金子邦彦・津田一郎『複雑系のカオス的シナリオ』朝倉書店　1996年

金子邦彦『カオスの紡ぐ夢の中で』小学館文庫　1998年

フリッチョフ・カプラ『タオ自然学』吉福伸逸・田中三彦・島田裕巳・中山直子訳

【わ行】
ワトソン，ジェームズ　12

ノイマン，フォン　242
脳オルガノイド　181
脳と心　15
脳と心は別もの　77
ノックアウトマウス　112

【は行】

バーチャル・マシン　132
ハード・プロブレム　148, 152, 167
ハイゼンベルク，ヴェルナー　38
パターン認識　125
波動方程式　27, 39
波動力学　62
ハメロフ，スチュワート　80
パラダイム・チェンジ　35
汎神論　161
微小管　4
ヒッグス，ピーター　45
ヒッグス粒子　45
ビッグデータ　125
ヒトゲノム計画　13
ヒューマノイド型アンドロイド　128
ヒントン，ジェフリー　135
不確定性原理　39
不完全性定理　52
福井謙一　29
複雑適応系　197
ブラインドサイト　95
ブラックホール　4
フラッシュバック現象　76
プランク，マックス　34, 36
物質波　39
プリゴジン，イリヤ　186, 204
分子生物学　45, 48, 104
分離脳　73
ペンフィールド，ワイルダー　28, 75
ペンローズ，ロジャー　3, 28, 78, 242
ボーア，ニールス　38, 56
ホーキング，スティーヴン　58
ポパー，カール　27, 70
ホフスタッター，ダグラス・R　134
ポランニー，マイケル　202

【ま行】

ミームの進化　132
ミリカン，ロバート　34
ミンスキー，マービン　128
村上陽一郎　33
メタ・プロブレム　152
メタバース　137
免疫学　27, 104
免疫系　14, 236
茂木健一郎　145
モノー，ジャック　13

【や行】

湯川秀樹　43
要素還元主義　48

【ら行】

リアル・プロブレム　167
両眼視野闘争　108
量子仮説　37
量子脳理論　4
量子力学　27, 35, 42
量子力学以前　36
レイ，トマス　209
レウキッポス　43
レントゲン，ヴィルヘルム　32
ロスアラモス研究所　191

サイコキネシス　19
散逸構造理論　204
ジェームズ，ウイリアム　25
シェリントン，チャールズ　27, 65
視覚的動物　93
実験心理学者　55
下條信輔　54, 157
下村脩　191
ジャコブ，フランソワ　12
シャルパンティエ，エマニュエル　32
シュレディンガー，エルヴィン　27, 38, 56, 229, 242
シュレディンガーの猫　42
シュレディンガー方程式　39
情報理論　119
ジョセフソン，ブライアン　17, 88
ジョセフソン効果　17
ジョセフソン素子　17
神経科学　6
神経系　236
神経細胞群選択説（TNGS）　106
人工知能（AI）　6
スコット，アーウィン　144, 213, 245
スペリー，ロジャー　27, 73, 227
『生命とは何か』　46
セス，アニル　108, 166
相対性理論　35
創発的二元論　241
素粒子　35
素粒子物理学　48
素粒子論　43

【た行】

第一次 AI ブーム　124
大規模言語モデル（LLM）　152, 168
第三次 AI ブーム　125
第二次 AI ブーム　124
ダウドナ，ジェニファー　32
多は異なり（More is Different）　226, 227
チャット GPT　179
チャルマーズ，デビッド　148, 254
中間子　43
チューリング・テスト　134, 139
チューリング，アラン　139
超伝導　35
超流動現象　35
土谷尚嗣　160
ディープラーニング　125
ティエラ　209
デネット，ダニエル　81, 132
デモクリトス　43
デルブリュック，マックス　46
ド・デューブ，クリスチャン　229
ドゥアンヌ，スタニスラス　154
統合情報理論（IIT）　119, 120, 154, 161
利根川進　12, 110
トノーニ，ジュリオ　108, 119
朝永振一郎　43
トンデモ本　5

【な行】

二元論　66
二重らせん構造の発見　47
ニューエイジ・サイエンス　206
ニュートン力学　34
ニュートン力学を無効　35
ニューラルネットワーク　125
ネッカー・キューブ　93

索引

【A～Z、1～】
AI → 人工知能
AI の父　128
GNW → グローバル・ニューロナル・ワークスペース
IIT → 統合情報理論
LLM → 大規模言語モデル
More is Different → 多は異なり
NCC → 意識の神経相関
TNGS → 神経細胞群選択説
『2001 年宇宙の旅』　126

【あ行】
アイゲン，マンフレッド　186
アインシュタイン，アルバート　37
アナフィラキシー　87
アバター　137
アンダーソン，カール　43
アンダーソン，フィリップ　186, 225
イージー・プロブレム　148, 152, 167
意識研究インフルエンザ説　24, 232
意識の神経相関（NCC）　99, 100, 115
意識は脳の機能そのもの　55
意識や心と脳は別もの　55
伊藤正男　69
ウィグナー，ユージン　83, 242
エーデルマン，ジェラルド　27, 104, 228
江崎玲於奈　18
エックス（放射）線の発見　35
エックルス，ジョン　27, 68, 227, 242
オペロン説　14
オンライン・ゾンビ・システム　101

【か行】
ガーランド・テスト　171
カレル，アレキシス　27, 85
還元主義　203, 225
機械学習　125
機械論的自然観　225
機械論的な決定論　50
グーグル　135
クォーク　44
クオリア　145
クリック，フランシス　12, 91
グローバル・ニューロナル・ワークスペース（GNW）　154, 157
ゲーデル，クルト　52
ゲシュタルト心理学　25
ゲノム編集技術　13
ゲルマン，マレイ　44, 186, 228
原子の構造の解明　35
合理的神秘主義　62
光量子仮説　37
コッホ，クリストフ　23, 88, 114, 162
古典力学　36
コペンハーゲン解釈　40

【さ行】
サール，ジョン　138

著者紹介

青野由利（あおの・ゆり）

科学ジャーナリスト。毎日新聞で生命科学、天文学、宇宙開発、火山など幅広い科学分野を担当し、論説委員やコラムニストを務めた。科学報道を牽引してきた業績で2020年度日本記者クラブ賞受賞。

東京生まれ。東京大学薬学部卒。東京大学大学院総合文化研究科修士課程修了。フルブライト客員研究員（MIT・ナイト・サイエンス・ジャーナリズム・フェロー）、ロイター・フェロー（オックスフォード大学）。

著書に『生命科学の冒険――生殖・クローン・遺伝子・脳』『宇宙はこう考えられている――ビッグバンからヒッグス粒子まで』『ニュートリノって何？』（いずれもちくまプリマー新書）、科学ジャーナリスト賞を受賞した『インフルエンザは征圧できるのか』（新潮社）、本書のもとになった『ノーベル賞科学者のアタマの中――物質・生命・意識研究まで』（築地書館）、講談社科学出版賞を受賞した『ゲノム編集の光と闇――人類の未来に何をもたらすか』（ちくま新書）等。

脳を開けても心はなかった
正統派科学者が意識研究に走るわけ

2024年3月8日　初版発行

著者　青野由利
発行者　土井二郎
発行所　築地書館株式会社
〒104-0045
東京都中央区築地7-4-4-201
☎ 03-3542-3731　FAX 03-3541-5799
http://www.tsukiji-shokan.co.jp/
振替 00110-5-19057
印刷・製本　シナノ印刷株式会社
装丁　今東淳雄（maro design）
イラスト　藤本良平

© Yuri Aono 2024 Printed in Japan ISBN 978-4-8067-1660-0

●築地書館の本●

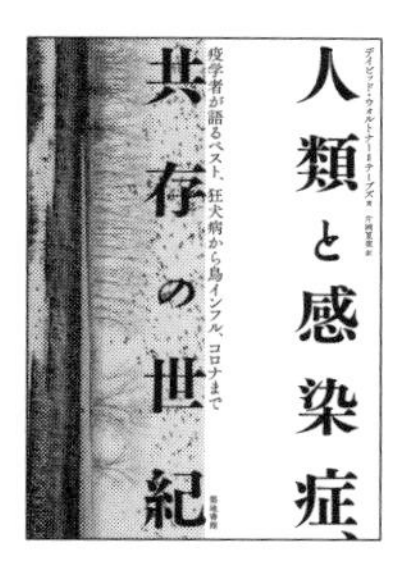

人類と感染症、共存の世紀

疫学者が語るペスト、
狂犬病から鳥インフル、コロナまで

デイビッド・ウォルトナー＝テーブズ［著］
片岡夏実［訳］
2,700 円＋税

ヒトが免疫を獲得していない未知の病原体が、突如として現れ人間社会を襲うようになった 21 世紀。コロナウイルスに限らず、新興感染症の波が次々と襲ってくるのはなぜなのか。

獣医師、疫学者として世界の人獣共通感染症の最前線に立ち続けた著者が、グローバル化した人間社会が構造的に生み出す新興感染症とその対応を平易・冷静に描く。

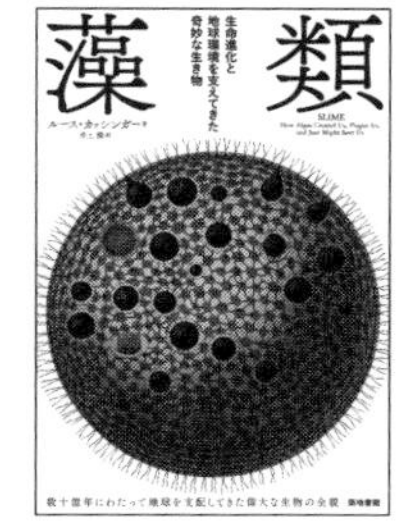

藻類　生命進化と地球環境を支えてきた奇妙な生き物

ルース・カッシンガー［著］井上勲［訳］
3,000 円＋税

プールの壁に生えている緑色のものから、ワカメやコンブといった海藻、植物の体内の葉緑体やシアノバクテリアまで、知っているようでよく知らない藻類。

だが、地球に酸素が発生して生物が進化できたのも、人類が生き残り、脳を発達させることができたのも、すべて、藻類のおかげだったのだ。

一見、とても地味な存在である藻類の、地球と生命、ヒトとの壮大な関わりを知ることができる一冊。